ANTON BRUCKNER INSTITUT LINZ

ANTON BRUCKNER DOKUMENTE UND STUDIEN

Herausgegeben von
OTHMAR WESSELY

Band 7

RENATE GRASBERGER
BRUCKNER-IKONOGRAPHIE

AKADEMISCHE DRUCK - u. VERLAGSANSTALT
GRAZ / AUSTRIA
1990

RENATE GRASBERGER

BRUCKNER-IKONOGRAPHIE
Teil 1: Um 1854 bis 1924

Unter Mitarbeit von
UWE HARTEN

AKADEMISCHE DRUCK - u. VERLAGSANSTALT
GRAZ/AUSTRIA
1990

Wir danken dem Bundesministerium für Wissenschaft und Forschung, der Allgemeinen Sparkasse Linz und dem Kulturamt der Stadt Linz, Büro Stadtjubiläum, für ihren Beitrag zur Drucklegung dieses Bandes sowie der Creditanstalt-Bankverein für die Präsentation dieser Veröffentlichung und der Ausstellung im Brucknerhaus Linz „Als Bruckner Modell saß. Bilder im Wandel", 19. bis 28. September 1990.

CIP-Titelaufnahme der Deutschen Bibliothek
Grasberger, Renate:
Bruckner-Ikonographie / Renate Grasberger. –
Graz/Austria : Akad. Dr. u. Verl.-Anst.
(Anton Bruckner, Dokumente und Studien ; Bd. 7)
NE: HST; GT
Teil 1. Um 1854 bis 1924. – 1990
ISBN 3-201-01519-9

Einbandgestaltung: nach einem Entwurf von Gottfried Hattinger, Linz

Satz: Anton Bruckner Institut Linz
Reproduktion und Druck: PRINT+ART, Neufeldweg 75, A-8010 Graz
© Akademische Druck- u. Verlagsanstalt, Graz 1990
ISBN 3-201-01519-9
Printed in Austria

FRANZ GRASBERGER
zum
75. GEBURTSTAG

Inhaltsverzeichnis

Vorwort

Mit der vorliegenden Bruckner-Ikonographie soll eine Lücke in der Literatur über Anton Bruckner geschlossen werden. Zwar hat es schon früher Bildbände gegeben, aber nur mit ausgewählten Bildern und nicht allein von Bruckner, sondern auch zu dessen landschaftlicher, beruflicher und privater Umgebung. Ein erster Versuch war dann 1968 die innerhalb der verschiedenen Darstellungsgattungen jeweils chronologisch angelegte Ikonographie von Heinz Schöny, die allerdings den Komponisten nur "im zeitgenössischen Bildnis" (wie es im Titel heißt) und die bis zum damaligen Zeitpunkt bekannten Forschungsergebnisse wiedergab.

Durch die ausgedehnte Grundlagenforschung des Anton Bruckner-Institutes, die jahrelange Dokumentation des Zeitungsmaterials und durch Ausstellungsarbeiten, durch günstige Zufälle in Antiquitätenläden und auf Flohmärkten ebenso wie durch manchen Hinweis der auf Bruckner hin sensibilisierten Kollegen und durch die ORF-Aktion "Radio Bruckner" im Jahre 1977 kam ein unerwartet umfangreiches und vielseitiges, zum Teil vergessenes bzw. der Bruckner-Forschung überhaupt unbekanntes Bildmaterial ans Tageslicht, das eine Zweiteilung der Bruckner-Ikonographie förmlich erzwang.

Wir haben den ersten Teil mit dem Jahr 1924 begrenzt, einem Jahr, das sich nicht nur wegen der 100.Wiederkehr des Geburtstages Anton Bruckners besonders anbietet, sondern auch, weil es nach allen Erfahrungen einen Zeitabschnitt beendet, nach dem auf das zeitgenössische Brucknerbild das des "Nachlebens" folgt.

Das Material zu dieser Ikonographie setzt sich zusammen einerseits aus Photographien, die um 1854 beginnen und offenbar jeweils gewisse Meilensteine in Bruckners Leben repräsentieren, und andererseits aus den bis 1924 entstandenen Objekten aus dem weiten Bereich der darstellenden Kunst. Bei diesen sind zu unterscheiden solche, die aus dem unmittelbaren Kontakt mit Bruckner entstanden sind, und solche, die sich direkt auf Photographien beziehen. Hierbei fällt auf, daß einige wenige Aufnahmen sich anscheinend als "authentische" Bruckner-Bilder durchgesetzt hatten, so daß sie immer wieder - besonders auch für Gebrauchsgraphiken (z.B. Zeitungsillustrationen) als Vorlage benützt wurden.

Die bereits erwähnte Ikonographie von Heinz Schöny hat schon im wesentlichen die Photographien vorgestellt und wertvolle Angaben zur Charakterisierung des zeitgenössischen Brucknerbildes gemacht. Manches wurde damals bewußt weggelassen, was ich jetzt einbeziehen möchte, da ich - im Gegensatz zu Schöny - auf eine Beurteilung und Wertung der künstlerischen Qualität grundsätzlich verzichtet habe. Ausgehend von den ersten Photographien wurde eine chronologische Ordnung aller Bruckner-Darstellungen angestrebt, wobei die Angaben zur Entstehungszeit in einigen Fällen aufgrund neuer Forschungsergebnisse gegenüber Schöny korrigiert werden konnten.

Wo sich keine genaue Datierung finden ließ, wurde das Objekt - soweit möglich - zeitlich zugeordnet. Eine wesentliche Hilfe war dabei die Publikation von Franz Gräflinger, Anton Bruckner. Leben und Schaffen. (Umgearbeitete Bausteine). Berlin 1927, mit ihrem umfangreichen Bildteil. Derzeit von uns noch nicht datierbare Darstellungen wurden - geordnet nach Gattungen - anschließend an die datierten gereiht und im Bildteil durch den Vermerk "ohne Jahr" gekennzeichnet. Mit Rücksicht auf eine kostensparende und trotzdem möglichst farbgetreue Wiedergabe der zeitgenössischen, meist in Brauntönen gehaltenen Photographien werden alle Abbildungen in ebensolcher Tönung, die mehrfarbigen Darstellungen zusätzlich in einem gesonderten Farbteil gebracht.

Die Erläuterungen zu den Abbildungen folgen wegen der Übersichtlichkeit bewährten Schemata, die die wesentlichsten Charakterisierungspunkte zur Bestimmung einer Darstellung aufweisen. Bei den Angaben zu den jeweiligen Besitzern von Objekten wurde allerdings wegen des zum Teil identischen Bestandes einiger Institutionen nicht Wert auf die vollständige Erfassung gelegt, sondern in erster Linie der Fundort vermerkt, der die Bildvorlage für die Wiedergabe zur Verfügung stellte. Der Nachweis von Reproduktionen wurde bei den häufig verwendeten Darstellungen mit Absicht beschränkt vor allem auf die bekannte ältere Bruckner-Literatur (besonders Bildbände) und die für alle leicht zugänglichen modernen Taschenbuchausgaben. Da, wo in den Erläuterungen etwas offen bleiben mußte, möchte ich den Leser bitten, weiterzuforschen und Ergebnisse dem Anton Bruckner-Institut mitzuteilen - wir sind dankbar für jede Berichtigung und Erweiterung sowie überhaupt für jeden Hinweis. Der Teil 2 (ab 1925) wird die bis dahin gesammelten Ergänzungen und Korrekturen bringen.

Nun zu den Photographien: Wie schon erwähnt, hat Bruckner offenbar "Meilensteine" in seinem Leben als Anlaß genommen, sich photographieren zu lassen, so z.B. wenn er Erfolg, Anerkennung oder ein Ziel erreicht hatte. Er war sich ja auch von Anfang an seiner Begabung bewußt, sonst hätte er wohl nicht die Kraft aufgebracht, an seiner Entwicklung, an seinem Weg trotz einiger Rückschläge derart konsequent zu arbeiten.

So entstand in Wien die erste Photographie (Nr.1 der Abbildungen) - vermutlich 1854 (Datierung vielleicht von Ferdinand oder Amalie Löwe, aus deren Nachlaß die Photographie im Archiv der Gesellschaft der Musikfreunde in Wien stammt): Dafür spricht Bruckners selbstbewußte Haltung, hatte er doch am 9.Oktober 1854 die Orgelprüfung bei Ignaz Aßmayr abgelegt und war zu diesem Zweck in Wien gewesen. Mit dieser Prüfung waren die ersten Kontakte zu Wien geknüpft, war die erste Stufe auf dem Weg zum Symphoniker erreicht. Und die Uraufführung seiner b-Moll-Messe ("Missa solemnis", WAB 29) in St. Florian zur Inthronisation des neuen Propstes Prälat Friedrich Theophilus Mayr hatte am 14.September stattgefunden. Bruckner war sehr stolz auf diese Messe: Weil er zum Festmahl im Stift nicht geladen war, hatte er sich im Gasthaus Sperl allein eine Tafel mit fünf Gängen und dreierlei Arten Wein bestellt - mit der Begründung: "Die Mess' verdient's!" (Göll.-A. 2/1, S.176).

Ein weiteres Beispiel: die Photographie um 1865 (Nr.4). Am 5.Juni dieses Jahres fand die Uraufführung des Germanenzuges (WAB 70) statt; Bruckner, seit 1860 erster Chormeister der Liedertafel "Frohsinn", erhielt dafür beim 1.Oberösterreichisch-Salzburgischen Sängerfest in Linz den zweiten Preis (er hatte sich den ersten erhofft!). Und gleichzeitig arbeitete er an seiner Ersten Symphonie (WAB 101, vollendet am 14.April 1866).

Ein weiterer Schritt: die Photographien von 1868 (Nr.5 und 6). Bruckner arbeitete in diesem Jahr an der f-moll-Messe (WAB 28) und vollendete sie am 9.September. Im Mai desselben Jahres wurde seine Erste Symphonie in Linz unter seiner eigenen Leitung uraufgeführt. Außerdem erhielt er als Nachfolger seines Lehrers Simon Sechter die Anstellung als Professor für Harmonielehre, Kontrapunkt und Orgelspiel am Konservatorium der Gesellschaft der Musikfreunde in Wien, und an seinem 44.Geburtstag am 4.September wurde er "Expectirender k.k. Hoforganist".

Fünf Jahre später, 1873 in Marienbad, gab es wieder Anlässe (Nr.7): Seine Zweite Symphonie (WAB 102) wurde während der Weltausstellung in Wien uraufgeführt, die erste Fassung seiner Dritten (WAB 103) ging der Vollendung (am 31.Dezember) entgegen. Bruckner fuhr im Herbst nach Karlsbad, Marienbad und Bayreuth, besuchte dort Richard Wagner und widmete ihm die Dritte Symphonie, deren Annahme durch den über alles verehrten Bayreuther Meister er "als höchste Auszeichnung empfinde, die die Welt ihm geben könne" (Göll.-A. 3/1, S.567).

Die ersten Auslandserfolge als Symphoniker, zuerst in Leipzig Ende des Jahres 1884, dann im März 1885 in München, mit seiner Siebenten Symphonie (WAB 107) sowie die Verleihung des Ritterkreuzes des Franz Joseph-Ordens im Juli 1886 wurden auch photographisch festgehalten (Nr.17, 18 und 22).

Die späteren Photographien, wie z.B. die beiden von 1890 in seiner Wohnung in der Heßgasse (Nr.39 und 40), sind dagegen wohl auf Betreiben der Freunde entstanden. Bruckner, um diese Zeit schon so krank, daß er sich vom Konservatorium beurlauben ließ, hatte die Vollendung der zweiten Fassung der Achten Symphonie (WAB 108) angestrengt, er wirkt auf diesen Aufnahmen erschöpft und deprimiert. Mathias Preiner, Bruckner-"Freund bis zur letzten Stunde", wie er sich selbst nennt, bezeugt dieses Datum.

Der 70.Geburtstag 1894 war ein weiterer Anlaß (Nr.69-71). Bruckner fühlte sich gesundheitlich so schlecht, daß er am 10.November 1893 sein Testament gemacht hatte. Er schrieb 1893 an Otto Kitzler, sein Arzt habe ihm durch Wochen hindurch "nur Milch ohne Brot" und Bettruhe verordnet. Die Feierlichkeiten anläßlich dieses Geburtstages - Bruckner war zu diesem Zeitpunkt in Steyr - mußten abgesagt werden, erst im Spätherbst 1894 konnte er wieder nach Wien zurückkehren.

Über das vielleicht letzte Porträtphoto (Nr.82) - Schöny hat es in seiner Ikonographie nicht gebracht, weil er es nicht ohne Grund für eine "Fälschung", eine retuschierte Ausschnittvergrößerung aus dem Gruppenbild vor dem Belvedere (Nr.83) hält - berichtete der Arzt Dr. Richard Heller: "Es gab aus der letzten Zeit Bruckners kein Bild und den Vorschlag, sich photographieren zu lassen, konnte man ihm nicht machen, da er sofort dahinter die nahe Todesgefahr vermutete. So beschlossen wir denn, Bruckner ohne sein Wissen zu photographieren" (Göll.-A. 4/3, S.562). An diesem Tag, am 17.Juli 1896, entstanden also die letzten Bruckner-Photographien, auch die im Krankenbett, die von manchen als "auf dem Sterbebett" bezeichnet wird.

Schöny erwähnt noch ein Altersphoto im Profil, ähnlich dem 1890 von Anton Paul Huber aufgenommenen, das vielleicht aus der Graphik von Rudolf Fenz (nicht Fenzl) entanden ist. Die Quellen, die Schöny angibt, zeigen dieses Bild mit Schatten im rechten unteren Bereich: Es läßt sich schwach eine Signierung von Fenz erkennen.

Bruckner selbst hatte viele Photographien verschenkt, an Freunde, Schüler und an von ihm verehrte Mädchen, mit denen er sogar Photos austauschte. Das belegen Erinnerungsberichte von Zeitgenossen und Widmungen auf den Rückseiten einiger Exemplare.

Die Photographien zeigen Bruckner im Wandel der Zeit, das Werden seiner Person, die Entwicklung und die Entfaltung. Sein Gesicht zeigt Stolz und Enttäuschung, in den späteren Jahren Krankheit und Resignation, Vergeistigung, schließlich Hinfälligkeit und Erschöpfung. Zusammen mit den Erinnerungsberichten gewähren sie einen Einblick in seine Lebensart, seinen Tagesablauf, seinen Unterricht, seine Privatstunden, seine Entspannung mit Freunden und Schülern, Erholung beim Essen und Trinken und dann das Komponieren bis in die Nacht. Bruckner legte besonderen Wert auf bequeme Kleidung (als Organist mußte er sich möglichst unbeengt bewegen können), hatte besondere Eigenheiten, war heikel auf seinen kurzen Haarschnitt (Messerschnitt) und auf sein Bärtchen. Franz Marschner schreibt in seinen Erinnerungen: "Sein Auftreten erschien mir damals imponierend, hohes Selbstbewußtsein und ein Zug von Größe lag darin" (Göll.-A. 4/2, S.130). Er überlieferte auch den Ausspruch Bruckners: "Wenn ich mich auch nicht mit Schubert und solchen Meistern vergleichen kann, so weiß ich doch, daß ich 'Wer' bin und meine Sachen von Bedeutung sind" (Göll.-A. 4/2, S.133).

Zu den bildenden Künstlern seiner Zeit hatte Bruckner wenig bis gar keine Beziehung. Nur von wenigen wissen wir, daß sie ihm begegnet sind. Hermann Kaulbach in München saß er 1885 Modell (Nr.19), war aber nicht zufrieden mit dem Ergebnis und jammerte über seine "fürchterliche Nas'n ... nehmen's von der Nas'n was weg, bitt' Ihna." Und Kaulbachs Tochter Beppina von Stetten erinnerte sich noch an die Besuche, wie Bruckner den Kindern mit Klavierstunden drohte und sie mit "Liebe und Junggesellenunverständnis" verwöhnte (Göll.-A. 4/2, S.281 f.).

Fritz v. Uhde gewährte er 1886 (Nr.23) kaum Zeit für eine Skizze und verwies ihn auf die 1885 entstandenen Photographien von Franz Hanfstaengl (Nr.17 und 18). Trotzdem gelang es aber dem Künstler, ihn unbemerkt zu zeichnen (Göll.-A. 4/2, S.286).

Viktor Tilgner hingegen besuchte er einige Male; der Bildhauer verstand es, Bruckners Interesse zu wecken und die Sitzungen kurzweilig zu gestalten, indem er anregende Gesprächspartner einlud. Carl Almeroth berichtet in seinen Erinnerungen (Göll.-A. 4/3, S.190-195) von den Besuchen Bruckners bei Tilgner und dem Zusammentreffen u. a. mit dem damaligen Fürsterzbischof von Prag, Graf Schönborn, und dem Grafen Wilczek von der österreichischen Nordpol-Expedition, den Bruckner gleich bat, ihm vom 74.Breitegrad zu erzählen. Vielleicht erzielte Tilgner durch diese Begegnungen den lebendig aufmerksamen Gesichtsausdruck in seiner Bruckner-Büste (Nr.55).

Bruckners Lieblingsgemälde war das 1893 vollendete Ölbild von Josef Büche (Nr.66), das ihn mit dem Ritterkeuz des Franz Joseph-Ordens und der Brillantnadel von Max Emanuel Herzog in Bayern darstellt. Auch das "Salonbartl" ist gut getroffen, auf das Bruckner so großen Wert legte.

Der Münchner Maler Heinrich Schönchen hat trotz eines Empfehlungsschreiben von Tilgner wahrscheinlich keinen Termin von Bruckner bekommen, zumindest ist darüber nichts bekannt (Bruckner war um diese Zeit schon krank). Schönchen hat vermutlich nach den Photos von 1894 gemalt (Nr.72).

Aus eigener "Anschauung" kannten ihn auch Alfred Cossmann, der Bruckner in einer Vorlesung erlebte, weil er hoffte, dadurch dem Geheimnis von dessen Musik und der Musik überhaupt näherzukommen (Nr.99), und Franz Antoine, Schöpfer mehrerer Bruckner-Bilder (Nr.27, 38, 88 und 168), der ihn bei Proben im Wiener Akademischen Richard Wagner-Verein kennengelernt und ihn dort gezeichnet hat; außerdem dürfte er eine Zeitlang bei Bruckner Unterricht genommen haben (er wird in dessen Taschenkalender von 1878 erwähnt). Der Bildhauer Percival M. Hedley (Nr.77) sah Bruckner immerhin bei einem Besuch während der Wiener Internationalen Musik- und Theater-Ausstellung 1892.

Persönliche Bekanntschaft ist bei Otto Böhler zu vermuten, der in seinen Scherenschnitten und anderen Werken (Nr.41-54, 60 ff., 68, 78 f., 94, 101 ff., 108 und 110) Bruckner besonders charakteristisch festgehalten hat. Böhler dürfte ihn erst in den späteren Jahren kennengelernt haben, denn er zeigt den alten Bruckner in seiner schwerfälligen Gestalt, in seiner bequemen, überweiten Kleidung, in seiner gewissen unterwürfigen Hilflosigkeit. Rudolf Louis meinte dazu, die Gestalt Bruckners sei "wie geschaffen für den Stift des Karikaturisten, aber nicht eines solchen, der bloß den scharfen Blick für das Lächerliche der äußeren Erscheinung besitzt - denn der hätte ja nur ein ausgesprochenes 'Zerrbild' liefern können - sondern für einen, der Schärfe der Beobachtungsgabe mit ausgesprochener Liebe und Sympathie für den Gegenstand seiner Beobachtung verbindet. Bruckner hat einen solchen Karikaturisten in Otto Böhler gefunden, dessen köstliche Schattenbilder gerade darin einen ganz eigenartigen Vorzug besitzen, daß sie sich von aller Lieblosigkeit so glücklich fernhalten und es verschmähen, dem Verstande auf Kosten des Herzens einen billigen Triumph zu verschaffen. Ein feinfühliger Mensch konnte über Bruckners äußere Erscheinung wohl lächeln aber nicht lachen" (Anton Bruckner. München 1905, S.144).

Auch die Zeichnungen von Ludwig Grandé (Nr.13-16 und 26), Bruckners Schüler am Konservatorium der Gesellschaft der Musikfreunde in Wien, sind treffend gelungen. Grandé war damals 17 Jahre alt, hat Bruckner "in Aktion" erlebt und ihn in seinen Bewegungen, in seinem gesamten Habitus wiedergegeben.

Es gibt aber auch Karikaturen, die Bruckner in einen Zusammenhang stellen, wie z.B. die von Theodor Zasche (Bruckner und die Kritik, Nr.184) und die von Ferry Bératon (Bruckner als "Deutscher Michel", Nr.59) oder auch die beiden Zeichnungen im "Kikeriki" (Verhältnis zu Gustav Mahler, Nr.107 und 127).

Ob noch andere der Künstler Bruckner begegneten und sein Porträt nach eigenem Erleben schaffen konnten, ist nicht bekannt. Aufgrund der starken Ähnlichkeit mit diversen Photographien ist aber sicher zu schließen, daß sie diese zumindest als Hilfe benutzt haben.

Einige Photographien (besonders die Nummern 18, 36 und 70) und später das Gemälde von Kaulbach (Nr.19), die Halbfigur von Tilgner (Nr.55) und die Totenmaske (Nr.87) wurden dann auch als Vorlagen für die Darstellungen nach Bruckners Tod herangezogen. Das "Nachleben" manifestierte sich ja nicht nur in Gedenkfeiern und Brucknerfesten mit ganzen Konzert-Zyklen, sondern z.B. auch in Denkmälern, Gedenktafeln und Erinnerungsmedaillen, in illustrierten Würdigungen und sogar ganzen Sondernummern von Zeitschriften, besonders natürlich zu den Gedenkjahren des 10.Todestages (1906) und des 100.Geburtstages (1924). Zu dieser Zeit lebten noch zahlreiche Freunde und Schüler Bruckners, wirkten oft in Gesangvereinen, Liedertafeln etc. oder auch als Berufsmusiker, und sie sind es, die sich nun für Bruckners Werk einsetzten, die Erinnerung an ihn in Berichten wachhielten und zur Schaffung von Denkmälern und Gedenktafeln aufriefen. Sie beteiligten sich auch bei der Erstellung der ersten großen, der neunbändigen Bruckner-Biographie von August Göllerich und Max Auer.

Dem Bereich der "Dokumentation" entrückt sind schließlich die beiden Photographien (Nr.186), die uns das Oberösterreichische Landesmuseum zur Verfügung gestellt hat und mit denen der Teil 1 der Ikonographie endet. Im Oktober 1921 wurde anläßlich des 25.Todestages Bruckners sein Sarkophag in der Gruft der Stiftskirche von St. Florian geöffnet. Bruckner war ja auf eigenen Wunsch von Dr. Richard Paltauf "injiziert" worden, sein Körper hat sich dadurch bis heute in dem verschlossenen Metallsarg erhalten. Ob diese hier gezeigten Aufnahmen damals oder später entstanden sind, ist letztlich nicht so wichtig: Bruckners sterbliche Hülle ist fast unverändert bis heute erhalten geblieben, und so auch das vergeistigte Antlitz eines Menschen, der durch alle Mühen hindurch seinem inneren Auftrag gefolgt ist.

Meinen Dank möchte ich zuallererst Herrn Dr. Heinz Schöny aussprechen, der mich mit seiner wohlgeordneten Ikonographie für das "Bruckner-Bild" überhaupt erst interessiert hat. Anhand seiner Beschreibungen lernte ich, die Bilder und sonstigen Darstellungen genau zu betrachten und neue zu sammeln. Er war mir von Anfang an behilflich im Auffinden von Daten, und immer konnte ich auf sein freundliches Interesse zählen.

Mein Dank gilt auch allen Institutionen, die die Drucklegung mit ermöglicht haben, namentlich dem Bundesministerium für Wissenschaft und Forschung, der Allgemeinen Sparkasse Linz und dem Büro Stadtjubiläum des Kulturamtes der Stadt Linz, sowie allen, die meine Arbeit unterstützt, für die problemlose Beschaffung von Photographien und die so großzügige Ermäßigung der Reproduktionsgebühren bei dieser Veröffentlichung gesorgt haben. Besonders hervorheben möchte ich die Österreichische Nationalbibliothek mit ihren Abteilungen Musiksammlung, Porträtsammlung und Bildarchiv sowie Druckschriftensammlung, das Archiv der Gesellschaft der Musikfreunde in Wien, das Historische Museum der Stadt Wien, das Linzer Stadtmuseum und das Oberösterreichische Landesmuseum, deren Mitarbeiter trotz häufiger Belästigung alle überaus hilfsbereit und entgegenkommend waren, weiters allen, die Photos und Objekte zur Verfügung gestellt oder auf andere Weise zum Entstehen beigetragen haben.

Von Herzen danke ich den Mitarbeitern der Kommission für Musikforschung der Österreichischen Akademie der Wissenschaften und des Anton Bruckner-Institutes Linz: Frau Dr. Andrea Harrandt, die mir Photographien, wann immer nötig, so unkompliziert über die Wiener Lichtbildstelle "Alpenland" beschaffte, Frau Dr. Elisabeth Maier für ihre Ermutigung und Hilfsbereitschaft und Herrn Dr. Uwe Harten, der dieses schier überquellende Material in eine wissenschaftlich brauchbare Form gebracht hat, geduldig meine bis zum wirklich letzten Moment gelieferten Ergänzungen und Korrekturen annahm und außerdem bereit war, das Manuskript - weil die Zeit drängte - in den Computer einzugeben. Ihnen allen danke ich auch an dieser Stelle für die Freundschaft all die Jahre hindurch.

So hoffe ich, daß diese Sammlung von Bruckner-Bildern - "Bilder im Wandel", so der Untertitel der die Präsentation der Ikonographie begleitenden Ausstellung in Linz - allen Bruckner-Freunden und -Forschern hilfreich sein und auch den allgemein Musikinteressierten ansprechen möge.

Renate Grasberger

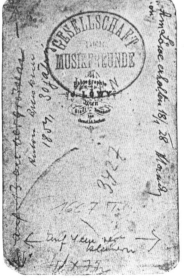

1 a, b
(um 1854)

2 a (1860/61)

2 b (1860/61)

3 (1860/61)

4 a,b (um 1865)

4 b
(Rückseite von 4 a)

5 (1868)

19

6 a,b (1868)

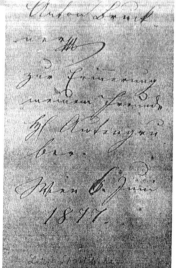

7 a,b (1873)

8 (um 1875)

9 a,b (vor 1880)

10 a,b
(um 1880)

11 (1882)
siehe auch
Tafel I

Anton Bruckner.

12 (1884)

13   (1884)

14   (ca. 1885)

15   (ca. 1885)

16   (1885)

17 (1885)

18 a,b (1885)

19 (1885)
siehe auch Tafel II

21   (1886)

22 a,b (1886)

22 c (1886)

23 a (1886)

23 b (1886)
siehe auch Tafel III

29

Küß d'Hand!

24 (1886)

VII. Jahrg. Nr. 2.   Köln, 1886.

Neue Musik-Zeitung.

Verlag von P. J. Tonger in Köln a/Rh.   — Auflage 47,000. —   Verantwortl. Redakteur: Aug. Reiser in Köln.

Vierteljährlich sechs Nummern nebst mehreren Klavierstücken, Liedern, Duetten, Compositionen für Violine oder Cello mit Klavierbegleit., Conversationslexikon der Tonkunst, Portraits hervorragender Tondichter und deren Biographien, illustrierte Geschichte der Instrumente, Kaulbachs Operncyklus, Köhlers Harmonielehre ꝛc.

Preis pro Quartal bei allen Postämtern in Deutschland, Oesterreich-Ungarn und Luxemburg, sowie in sämtlichen Buch- u. Musikalienhandlungen **80** Pfg. direkt von Köln per Kreuzband und bei den Postämtern des Weltpostvereins 1 Mk. 50 Pfg. Einzelne Nummern 25 Pfg. Inserate 50 Pfg. die Nonpar.-Zeile.

Anton Bruckner.

Von Dr. Hans Kleser.

In einer seiner letzten Kölner Quartett-Soirèen vom vorigen Frühjahr hat Heckmann uns Kölnern zum erstenmale die Bekanntschaft mit einem lebenden Tonsetzer vermittelt, um den anderwärts seit einem Jahrzehnt lebhafter Streit der Meinungen geherrscht hat und der, an der Schwelle des Greisenalters angelangt und an einem allgemeineren Erfolg, einer ungeteilten Anerkennung schon fast verzweifelnd, plötzlich und unerwartet die Freude und Genugtuung erlebte, in Karlsruhe, Leipzig, Wien und München stürmische Erfolge, in Köln, wo man zunächst nur ein kleineres Werk aufführte, Anerkennung und hohe Achtung zu erringen. Dieser Tonsetzer ist Anton Bruckner, der auf ein Musikerleben von vielen Mühen und Aneinandungen und leider sehr späten Erfolgen, immerhin aber auch von Erfolgen zurückblickt.

Es wird mir vielleicht als Dank gewußt werden, wenn ich über den seltsamen Mann, der bestimmt noch viel von sich reden machen wird, einiges mitteile, was nicht unbezeichnend ist für unsere musikalische Zeit. Es sei vorbemerkt, daß ich von einem Freunde reden will.

Das Biographische sei kurz: Anton Bruckner ist 1824 in dem oberösterreichischen Orte Ansfelden, also etwa zehn Jahre später als Richard Wagner, geboren, mit dessen äußerem

Anton Bruckner.

Geschick das seinige verflochten war. Bruckner war als junger Mann Lehrer und Stiftsorganist zu St. Florian und erhielt als dreißigjähriger Mann die vielumworbene Stelle des Domorganisten in Linz a. d. D. Im September 1868 wurde er als k. k. Hoforganist nach Wien berufen, alsbald Professor für Harmonie und Composition am dortigen Conservatorium und 1875 Lektor für dieselben Fächer an der Universität. Sein Lehrer im Contrapunkt und in der Harmonielehre war in Linz und Wien der Hoforganist Simon Sechter, einer der berühmtesten Theoretiker seiner Zeit, der auch heute noch größere Würdigung verdiente, als ihm zuteil wird. Das Orchester insbesondere studierte Bruckner bei einem deutschen Kapellmeister, Kitzler. Das ruhige und regelmäßige Leben des Hoforganisten und Lehrers wurde nur zweimal durch größere Ereignisse durchbrochen. 1869 gab Bruckner unter außerordentlichem Beifall Orgelkonzerte in Paris und Nancy; 1871 nahm er an dem internationalen Orgelwettstreit in London teil. Es war dorthin aus jedem Lande je ein Meister der Orgel berufen und Bruckner errang den ersten Preis. Zu London gab er nicht weniger als 11 Konzerte und beim teuten war die begeisterte Teilnahme größer, als bei jedem vorhergegangenen.

Abgesehen von diesen beiden größeren Reisen hat Bruckner jede Stunde, die ihm seine Pflicht als Beamter und Lehrer ließ, dem Musikstudium und der Komposition gewidmet. Soviel ich weiß, gibt es von ihm drei

26 (1887)

Bei einer Probe im Akademischen Wagnerverein

27 a-c (1888)

28　(1888)
siehe auch Tafel III

29　(1888-1892)
siehe auch Tafel IV

30　(1888-1892)
siehe auch Tafel IV

Eine Wiedersehen nach Jahren.

31 (1888-1892)
siehe auch Tafel V

Perry Bératon 89

32 (1889)
siehe auch
Tafel V

35

33 (1889)

34 (1889)

35 a,b (um 1890)

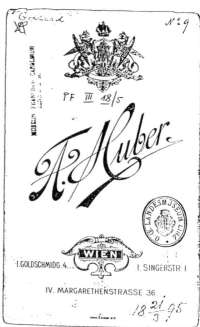

36 a,b (ca. 1890)

36 c,d (ca. 1890)

36 e   (Postkarte um 1898)

36 f   (Postkarte 1925)

37 a,b (1890)
siehe auch Tafel VI

38 (1890)
siehe auch Tafel VII

39 a-c (1890)

41

40 (1890)

41   (um 1890 bis 1895)

42   (um 1890 bis 1895)

43 (um 1890 bis 1895)

44 (um 1890 bis 1895)

DR. OTTO BÖHLER'S SCHATTENBILDER.

k. u. k.
Hof- und Univ-Buchhandlung   R. LECHNER   (Wilh. Müller)   k. u. k.
3L Graben   Graben 3l.   Hof-Manufactur für Photographie.
WIEN

45 (um 1890 bis 1895)

46 (um 1890 bis 1895)

47 (um 1890 bis 1895)

Bruckner in Bayreuth

48
(um 1890 bis 1895)

Bruckner in Bayreuth

49
(um 1890 bis 1895)
siehe auch Tafel VII

50   (um 1890 bis 1895)

51 a   (um 1890 bis 1895)

51 b   (Postkarte um 1900)

52   (um 1890 bis 1895)

53   (um 1890 bis 1895)

76 (1894)

77 (1894)

51 a (um 1890 bis 1895)

51 b (Postkarte um 1900)

52 (um 1890 bis 1895)

53 (um 1890 bis 1895)

54 (um 1890 bis 1895)

55 (1891)

56 (1891)

Anton Bruckner.
Oswald Hasser.
Joseph Sucher.
Richard Heuberger.
Albert Becker.
Hans v. Bronsart.
Alexander Winterberger.
Felix Dräseke.
Joh. Jos. Abert.
Karl Goldmark.
Paul Geisler.
Franz Wüllner.
Heinrich Hofmann.

Deutsche Componisten der Gegenwart. Nach Photographien gezeichnet von F. Waibler. 1891.

57 (1891)

Franz Erkel.   Franz von Suppé.   Carl Millöcker.

Dr. Johannes Brahms.   Dr. Anton Bruckner.   Johann Strauß.   Karl Goldmark.

Eduard Kremser.   Josef Hellmesberger jun.   Robert Fuchs.

Oesterreich-Ungarn in der Musik: Die hervorragendsten Componisten unserer Monarchie. (Siehe Seite 6.)

58 (1891)

Anton Bruckners Siegesallegorie,
(aus der Musik Heft VI/1).

59 (1892)

DR OTTO BÖHLER'S SCHATTENBILDER.

Im „Philharmonischen"

Hans Richter als Dirigent einer Bruckner'schen Symphonie

R. LECHNER'S K.U.K. HOF. U. UNIV. BUCHHANDL. (WILH. MÜLLER) WIEN, I, GRABEN 31.

60   (um 1892/93)

61   (um 1892/93)

62   (ca. 1893)

63 a,b   (ca. 1893)

64 a,b   (ca. 1893)

65 a,b (ca. 1893)

66 (1893)
siehe auch Tafel VIII

67 (1893)
siehe auch Tafel VIII

68   (1893)

69 a,b   (1894)

70 a,b (1894)

71 (1894)

72 (1894)
siehe auch Tafel IX

60

Professor Dr. Anton Bruckner.

73 (1894)

74 (1894)

75 (1894)

76 (1894)

77 (1894)

78, 79 (um 1895)
siehe auch Tafel X

BRUCKNER

80 (um 1895)

81 (vor 1896) ohne Bild

82 a,b (1896)

83 a (1896)

83 b (1896)

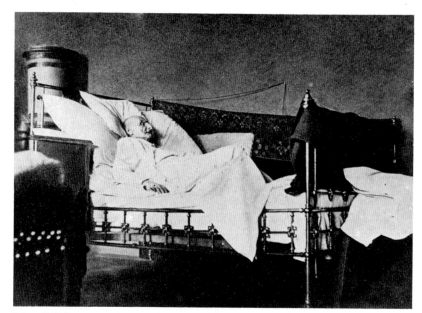

84 a (1896)

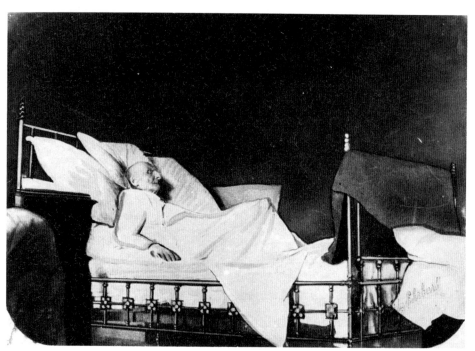

84 b (1896)

1. Wilhelm Jahn. 2. Dr. Hans Richter. 3. Dr. Eduard Hanslick. 4. Johannes Brahms. 5. Anton Bruckner. 6. Carl Goldmark. 7. Ignaz Brüll.
8. Carl Millöcker. 9. Johann Strauß. 10. C. M. Ziehrer.

85 (1896)

86 (1896)

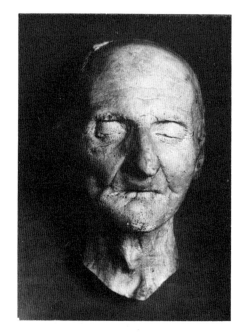

87 a,b (1896)

88 (ca. 1896)
siehe auch Tafel X

89 (1896)

90 (1896)

91 (1896)

92 (1896)

93 (1896)

94 a (1896)

94 b (Postkarte vor 1900)

95 (1896) ohne Bild

96 (1896)

97 (1896/97)

98 (um 1896/97)

99   (um 1896/97)

100   (um 1896/97)

101 a (1897)

101 b (1897)

101 c (1897)

101 d (Reproduktion)

102 a (1897)

Zur Erinnerung an das hundertjährige Geburtsfest Franz Schubert's
dem Wiener Schubertbund gewidmet von Dr. Otto Böhler.

Wien, IV. Margarethenstrasse 28.   Selbstverlag des Schubertbundes.   J. Gertinger.

102 b (1897)

DR. OTTO BÖHLER'S SCHATTENBILDER.

k. u. k.
Hof- und Univ. - Buchhandlung   R. LECHNER   (Wlh. MÜLLER)   k. u. k.
                                     WIEN   Graben 31   Hof-Manufactur für Photographie

103   (1897)
siehe auch Tafel XI

104 (1898)

105 a,b (1898)

106 a   (1899)

78

106 b   (Postkarte vor 1900)

106 c   (Postkarte vor 1900)

106 d   (Postkarte vor 1900)

106 e   (Postkarte um 1900)

Anton Bruckner-Denkmal Stadtpark. Wien.
von Viktor Tilgner, Sockel von Zerritsch.

106 f (Postkarte 1907)

106 g (Postkarte nach 1900)

Bei der Enthüllung des Bruckner-Denkmals.

Mahler: Mir scheint eppes, die Figur will was von mir!
Anmerkung des Zeichners: Na freilich! Sie sagt: „Geht net weiter, Du musikalischer Bamschabel!"

107 (1899)

108 (1899)

109 (um 1900)

110 (ca. 1900)
siehe auch
Tafel XI

111 (1901)

112 a,b (1903)

113   (um/nach 1903)

114   (um/nach 1903)

115   (um/nach 1903)

116   (um/nach 1903)

117 (1903)

118 (1903)

119 (1906 oder früher)

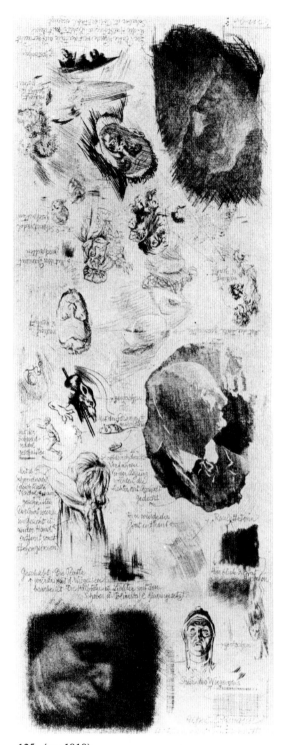

125 (um 1910)

117 (1903)

118 (1903)

119 (1906 oder früher)

85

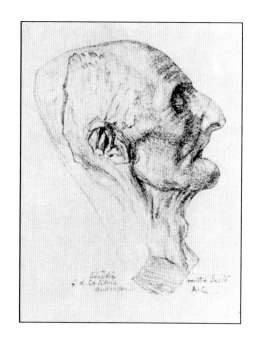

120 a,b (vor 1907)

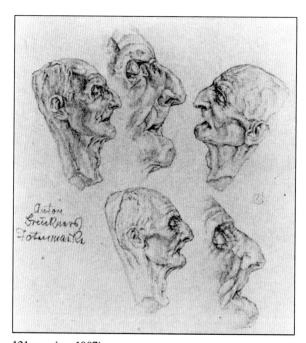

121 a-e (vor 1907)

122 (1907)

123 (1908)

124 (1909)

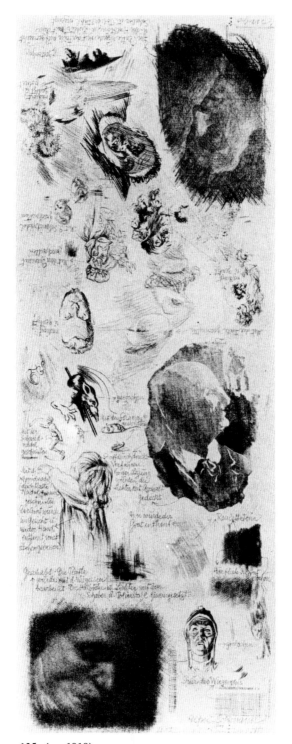

125 (um 1910)

ANTON
BRVCKNER
EHRENDOKTOR·DER·WIENER·UNIVERSITÄT

MDCCCXXIV - MDCCCXCVI

NON CONFVNDAR
IN ÆTERNVM

AKADEMISCHER·GESANGVEREIN·IN·WIEN

126 (1911)

127 (1912)

128 (1912)
siehe auch Tafel XII

129 (1913)

130 a,b   (1914)

131 a,b   (um 1914)

132 (ca. 1920)

133 (ca. 1920)

134 (ca. 1920)

135 (1920)

136 (1920)

137 a,b   (1920)

138 a,b (1921)

139 (1921)

140 (1922)

141 (ca. 1922)

142 (1922)

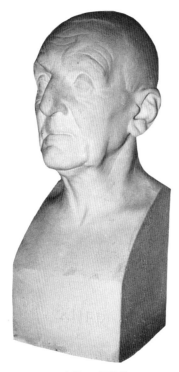

143 a (1923)

143 b (1923)

144 (1923)
siehe auch Tafel XIII

145 (1923/24)

146 a (1924)

146 b (1924)

147 (1924)

148 a,b (1924)

149 a (1924)

149 b (1924)

149 c (1924 ?)

150 (1924)

151 (1924)

152 a,b (1924)

153 a,b (1924)

101

154 a (1924)

154 b (1924)

K. HAYD

ANTON BRUCKNER

155 (1924)
siehe auch Tafel XIV

156 (1924)

157 (1924)   158 (1924)   159 (1924)

160 (1924)

168 (ohne Jahr)
siehe auch Tafel XV

169 (ohne Jahr)
siehe auch Tafel XVI

170 (ohne Jahr)

171 (ohne Jahr)
siehe auch Tafel XVI

172 (ohne Jahr)

173 (ohne Jahr)

174 (ohne Jahr)

175 (ohne Jahr)

176 ohne Bild

177 (ohne Jahr)

178 (ohne Jahr)

179 (ohne Jahr)

180 (ohne Jahr)

181 (ohne Jahr)

183 (ohne Jahr)

182 a (ohne Jahr)

182 b (ohne Jahr)

184 (ohne Jahr)

185 (ohne Jahr)

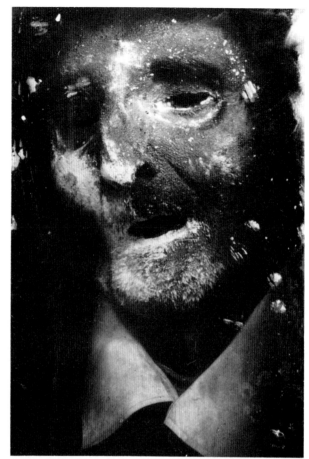

186 a,b
(photographiert
1923?)

116

11 (1882)

19 (1885)

23 b (1886)

28 (1888)

Hans Richter und Anton Bruckner

29 (1888-1892)

30 (1888-1892)

Ein Wiedersehen nach Jahren

31 (1888-1892)

32 (1889)

37 a (1890)

38　(1890)

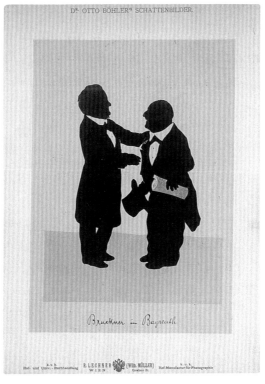

49
(um 1890 bis 1895)

66 (1893)

67 (1893)

72 (1894)

78, 79   (um 1895)

88   (ca. 1896)

103   (1897)

110   (ca. 1900)

ANTON BRUCKNER

Ħ 7048   M. v. Liel pinx.

128 (1912)

144 (1923)

ANTON BRUCKNER

155 (1924)

165 (ohne Jahr)

168   (ohne Jahr)

169   (ohne Jahr)

171   (ohne Jahr)

Erläuterungen 1-186

Um 1854 bis 1924

1 a,b   **um 1854**

Photograph: Josef Löwy, Wien
Darstellung: ganze Figur, stehend
Gattung: Photographie
Format: Visitformat 9,6 x 6,2 cm
Besitzer: Gesellschaft der Musikfreunde, Archiv, Wien, Sign. 3427 (datiert 1854); 1929 Geschenk von Amalie Löwe, Witwe von Ferdinand Löwe
Literatur: Viktor Junk, Ein unbekanntes Brucknerbild, in: Zeitschrift für Musik 94(1927) S.634 f.; ders., Ein neuer Fund zu dem Jugendbild Anton Bruckners, in: ebenda 96(1929) S.696 f.
Reproduktionen: Göll.-A. 3/1, nach S.224; Haas S.39; Abendroth S.25; Grebe S.32; Nowak Abb.89; Fischer Abb.63; Bruckner-Katalog Wien 1974, S.17; Bruckner-Katalog Linz 1977, S.35; Hansen S.84; Schöny F 2
Anmerkungen: Schöny datiert dieses Bild mit "wahrscheinlich 1863"; die Literatur bezieht sich in der Folge auf dieses Datum. Die Datierung auf der Rückseite des Originalphotos (vermutlich von Amalie Löwe) wurde von Viktor Junk übernommen.

2 a,b   **1860/61**

Photograph: Franz Nunwarz, Linz
Darstellung: Gruppenbild, Bruckner stehend, zweiter von rechts
Gattung: angeblich Daguerrotypie
Format: unbekannt; Kopie 14,5 x 21 cm
Besitzer: Linzer Singakademie, vormals Liedertafel "Frohsinn", Linz (Original verbrannt; Kopie derzeit [1990] nicht auffindbar)
Literatur: Anton Bruckner im Kreise würdiger Männer, in: Oberösterreichische Nachrichten 14.11.1959
Reproduktionen: Göll.-A. 3/1, nach S.400; Fischer Abb.47; Bruckner-Katalog Wien 1974, S.61 (Ausschnitt); Schöny F 1
Anmerkungen: Erkannt in diesem "Kreise würdiger Männer" wurden u.a. Karl Zappe und Otto Kitzler.

3   **1860/61**

Photograph: Franz Nunwarz, Linz
Darstellung: Brustbild, Halbprofil nach links; Ausschnitt aus dem Gruppenbild (siehe Nr.2), stark retuschiert

Gattung: Photographie, Postkarte
Format: Postkarte 14 x 9 cm
Besitzer: Postkarte Österreichische Nationalbibliothek, Musiksammlung, Wien, Sign. F 30 Gräflinger 668
Literatur: -
Reproduktionen: Göll.-A. 1, vor S.321; Gräflinger 1927, Taf.1; Wagner S.63; Schöny F 1A
Anmerkungen: Bei Göll.-A. und auf der Postkarte mit "1845" datiert; "bei Göll.-Auer Übereinstimmung beider Porträts nicht erkannt, Datierung unrichtig" (Schöny S.51); weiters schreibt Göllerich fälschlich "P. Nunwarz".

4 a,b   **um 1865**

Photograph: Eduard Pfeiffer, Linz
Darstellung: Brustbild, Halbprofil nach rechts
Gattung: Photographie
Format: 9,7 x 6,2 cm
Besitzer: Familie Hueber, Vöcklabruck; Hermann Zappe, Gmunden
Literatur: -
Reproduktionen: Göll.-A. 2/1, nach S.16; Fischer Abb.67; Bruckner-Katalog Wien 1974, S.60; Wagner S.50; Schöny F 3
Anmerkungen: Eduard Pfeiffer war der erste Photograph in Linz. - Die Rückseite der Originalphotographie bei H. Zappe trägt die Aufschrift (von der Hand Karl Zappes?) "Meister Antonius Bruckner". - Wagner datiert "um 1850" wie Göll.-A., Schöny spricht von merklicher Veränderung im Vergleich mit den früheren Aufnahmen und datiert "um 1865".

5   **1868**

Photograph: Carl Weidinger, Linz
Darstellung: Brustbild, Viertelprofil nach links
Gattung: Photographie
Format: Visitformat 10 x 7,6 cm
Besitzer: Linzer Singakademie, vormals Liedertafel "Frohsinn" (Original verbrannt; spätere Kopien vorhanden); Kopie Oberösterreichisches Landesmuseum, Bibliothek, Linz, Sign. PF I 3/1
Literatur: -
Reproduktionen: Auer 1923, nach S.94; Gräflinger 1927, Taf.2; Göll.-A. 3/1, nach S.8; Frohsinn-Nachrichten 1936/37, Folge 2, Titelblatt; Abendroth S.44; Fischer Abb.83; Auer 1982, nach S.80; Schöny F 4a
Anmerkungen: Die Kopie im Oberösterreichischen Landesmuseum trägt die Aufschrift "Anton Bruckner als Chormeister der Liedertafel 'Frohsinn' zu Linz im Jahre 1868, 44 Jahre alt". - Das Titelblatt der Frohsinn-Nachrichten (siehe oben) trägt die Bildunterschrift "Zum 40. Todestag! Anton Bruckner als Chormeister der Liedertafel 'Frohsinn' Linz im Jahre 1868."

6 a,b   **1868**

Photograph: August Red und Carl Weidinger, Linz
Darstellung: Brustbild, Halbprofil nach links
Gattung: Photographie
Format: Visitformat 5,8 x 9,2 cm
Besitzer: Gesellschaft der Musikfreunde, Archiv, Wien, Sign. PH 110; Stadt-
museum Linz Nordico, Photosammlung; vergrößerte Kopie Linzer Singaka-
demie, vormals Liedertafel "Frohsinn", Linz
Literatur: IBG Mitteilungsblatt 1975, Nr.7, S.10
Reproduktionen: Haas S.73; Bruckner-Katalog Wien 1974, S.22; Wagner
S.87; Schöny F 4b
Anmerkungen: Variante zu Nr.5. - Das Exemplar in der Gesellschaft der
Musikfreunde trägt auf der Vorderseite Bruckners eigenhändige Unter-
schrift, auf der Rückseite die eigenhändige Aufschrift "Wien, 21.Juni 1872.
Anton Bruck[ner]". - Das Exemplar im Linzer Stadtmuseum hat auf der
Vorderseite den Prägestempel "A. RED LINZ" und auf der Rückseite die
Aufschrift "Anton Bruckner zur Erinnerung meinem Freunde Hr. Autengru-
ber Wien 6. Juni 1877." und wurde am 24.9.1928 erworben von Frau Rosa
Greifeneder, Tochter des Schulleiters Autengruber in Bad Ischl. - Im Be-
gleitbrief an das Stadtmuseum wird berichtet, daß Bruckner bei Autengru-
bers häufig zu Gast war und dort sein Leibgericht Tiroler Knödel mit viel
Geselchtem bekam, "das Frau Autengruber sehr gut zubereitete".

7 a,b   **1873**

Photograph: W. Jerie, Marienbad
Darstellung: Brustbild, etwas nach links, im Oval
Gattung: Photographie
Format: 10,3 x 6 cm
Besitzer: Gesellschaft der Musikfreunde, Archiv, Wien; Photogravure
Österreichische Nationalbibliothek, Porträtsammlung und Bildarchiv, Wien,
Sign. 373/1 Pf 5264
Literatur: -
Reproduktionen: Gräflinger 1927, Taf.5; Nowak S.169; Fischer Abb.120;
Hansen S.133; Schöny F 5
Anmerkungen: Die Originalphotographie in der Gesellschaft der Musik-
freunde trägt auf der Rückseite die Aufschrift "Meinem lieben Freunde Hr.
Akos Kiss. Anton Bruckner.". Akos Kiss war vielleicht der Vater von Karl
Kiss, der 1876-1878 als Privatschüler von Bruckner unterrichtet wurde.

8   **um 1875**

Photograph: unbekannt, Wien ?
Darstellung: Halbfigur, etwas nach links
Gattung: Photographie

Format: unbekannt; Kopie 11,3 x 8,1 cm
Besitzer: Privatbesitz Max Auer (verschollen); Kopie Historisches Museum der Stadt Wien; Anton Bruckner-Institut Linz
Literatur: -
Reproduktionen: Auer 1923, nach S.156; Gräflinger 1927, Taf.7; Abendroth S.79; Bruckner-Katalog Wien 1974, S.87; Wagner S.105; Schöny F 6
Anmerkungen: -

9 a,b   **vor 1880**

Photograph: Louis Bauer, Wien
Darstellung: Halbfigur, etwas nach rechts
Gattung: Photographie
Format: Visitformat 10,5 x 6,6 cm
Besitzer: Historisches Museum der Stadt Wien I.N. 103.468
Literatur: -
Reproduktionen: Fischer Abb.154; Schöny F 7
Anmerkungen: Diese Photographie war Vorlage für das Ölgemälde von Heinrich Ebeling 1882 (siehe Nr.11) und für die Lithographie von Theodor Mayerhofer 1884 (siehe Nr.12).

10 a,b   **um 1880**

Photograph: Othmar v. Türk, Wien
Darstellung: Halbfigur, nach rechts
Gattung: Photographie
Format: Visitformat, genaue Maße unbekannt; Kopie 24 x 18 cm
Besitzer: Richard Wagner-Gedenkstätte der Stadt Bayreuth; Kopie Gesellschaft der Musikfreunde, Archiv, Wien (Photograph Angerer & Goeschl, Wien)
Literatur: -
Reproduktionen: Haas S.82; Abendroth S.90; Schöny F 8
Anmerkungen: Das Originalphoto trägt auf der Rückseite die Widmung "Ihrer Gnaden, Fräulein Eva Wagner in innigster Verehrung! Anton Bruckner Wien, 4.März 1885.".

11   **1882**

Künstler: Heinrich Ebeling, Wien
Darstellung: Halbfigur, etwas nach rechts, im Oval; Mitte rechts bezeichnet "H. Ebeling 1882"
Gattung: Gemälde
Material: Ölfarben auf Leinwand

Format: 79 x 63 cm
Vorlage: Photographie (siehe Nr.9)
Besitzer: Historisches Museum der Stadt Wien I.N. 16.836 (aus dem Nachlaß Anton Bruckners)
Literatur: Orel 1949, S.122
Reproduktionen: Alfred Orel, Ein Harmonielehrekolleg bei Anton Bruckner. Wien 1940, Frontispiz; Schöny G 1
Anmerkungen: Das gerahmte Bild ist auf der Photographie von Ludwig Grillich (siehe Nr.40) zu sehen.

12   **1884**

Künstler: Theodor Mayerhofer, Wien
Darstellung: Halbfigur, etwas nach rechts; am linken Ärmel bezeichnet "C. ANGERER & GOESCHL", rechts unten "Th. Mayerhofer"
Gattung: Lithographie, Zeitungsdruck
Material: Papier
Format: unbekannt; Druck 8,2 x 7,5 cm
Vorlage: Photographie (siehe Nr.9)
Besitzer: unbekannt; Druck Österreichische Nationalbibliothek, Porträtsammlung und Bildarchiv, Wien, Sign. Pf 373/5; 17.736
Literatur: -
Reproduktionen: Schöny G 2
Anmerkungen: Es ist unbekannt, aus welcher Zeitung der Druck in der Österreichischen Nationalbibliothek stammt.

13   **1884**

Künstler: Ludwig Grandé, Wien
Darstellung: Bruckner (Halbfigur, Profil nach rechts) und Wilhelm Schenner, mit Beschriftung "Prof. W. Schenner mit Prof. Bruckner im Gespräch. 1884"
Gattung: Federzeichnung, Karikatur
Material: Tusche auf Papier
Format: unbekannt; Reproduktion 7 x 9 cm
Vorlage: nach der Natur?
Besitzer: unbekannt
Literatur: Göll.-A. 4/4, S.283; Schöny S.78
Reproduktionen: Göll.-A. 4/1, nach S.64
Anmerkungen: Wilhelm Schenner war Professor für Klavier am Konservatorium der Gesellschaft der Musikfreunde, Wien.

14   ca. 1885

Künstler: Ludwig Grandé, Wien
Darstellung: Bruckner (ganze Figur, stehend, Kopf Profil nach rechts) und
Franz Krenn, mit Beschriftung "(Br. u. Krenn) Unsere Contrapuncta"
Gattung: Zeichnung, Karikatur
Material: Kohle oder Bleistift auf Papier
Format: unbekannt; Reproduktion 10,5 x 8 cm
Vorlage: nach der Natur?
Besitzer: unbekannt
Literatur: Göll.-A. 4/4, S.283; Schöny S.78
Reproduktionen: Göll.-A. 4/1, vor S.65
Anmerkungen: Franz Krenn war Lehrer für Komposition am Konservatori-
um der Gesellschaft der Musikfreunde, Wien.

15   ca. 1885

Künstler: Ludwig Grandé, Wien
Darstellung: ganze Figur, Profil nach rechts, an einer Schultafel stehend;
rechts unten bezeichnet "L Grande"
Gattung: Federzeichnung, Karikatur
Material: Tusche auf Papier
Format: unbekannt; Reproduktion 10 x 7,4 cm
Vorlage: nach der Natur?
Besitzer: unbekannt
Literatur: Göll.-A. 4/4, S.283; Schöny S.78
Reproduktionen: Göll.-A. 4/2, vor S. 609
Anmerkungen: Bruckners getupftes Taschentuch ist in dieser Karikatur fest-
gehalten.

16   1885

Künstler: Ludwig Grandé, Wien
Darstellung: ganze Figur, im Bahnabteil sitzend, Profil nach links, mit Be-
schriftung "Auf einer Fahrt nach dem Kahlenberge 1885"; rechts unten be-
zeichnet "L Grande Conservatorist"
Gattung: Zeichnung, Karikatur
Material: Kohle oder Bleistift auf Papier
Format: unbekannt; Reproduktion 11,2 x 7,9 cm
Vorlage: nach der Natur?
Besitzer: unbekannt
Literatur: Göll.-A. 4/4, S.283; Schöny S.78
Reproduktionen: Göll.-A. 4/2, nach S.608

Anmerkungen: Schöny zitiert eine weitere Karikatur aus dieser Zeit, "Bruckners Devotion vor Hanslick", die auch bei Göll.-A. 4/4, S.284 angegeben ist, aber offenbar nirgends abgebildet wurde.

17   **1885**

Photograph: Franz Hanfstaengl, München
Darstellung: Halbfigur, nach rechts
Gattung: Photographie
Format: 18 x 14 cm; Vergrößerung oval 38,5 x 31,5
Besitzer: Oberösterreichisches Landesmuseum, Bibliothek, Linz, Sign. PF III 18/6; Historisches Museum der Stadt Wien I.N. 57.079 Hanfstaengl Sign. PC 404; Heliogravure (13 x 10 cm) ebenda I.N. 57.078; Anton Bruckner-Institut Linz; Vergrößerung Internationale Bruckner-Gesellschaft, Wien
Literatur: -
Reproduktionen: Gräflinger 1927, Taf.4; Fischer Abb.168; Bruckner-Katalog Wien 1974, S.115; Schöny F 9
Anmerkungen: Eine oval zugeschnittene Vergrößerung dieser Photographie in einem ovalen Passepartout hing in Bruckners Wohnung (siehe Nr.39); sehr wahrscheinlich ist es das Exemplar, das über den zum Josef Schalk-Kreis gehörenden Bernhard Oehn an die Internationale Bruckner-Gesellschaft kam. - Die Photographie war Vorlage für die Kreidezeichnung von Konrad Immanuel Böhringer, vor 1924 (siehe Nr.173).

18 a,b   **1885**

Photograph: Franz Hanfstaengl, München
Darstellung: Brustbild, Dreiviertelprofil nach rechts
Gattung: Photographie
Format: Visitformat 10,6 x 6,6 cm
Besitzer: Oberösterreichisches Landesmuseum, Bibliothek, Linz, Sign. PF I 3/4
Literatur: -
Reproduktionen: Göll.-A. 1, vor S.9; Gräflinger 1927, Taf.9; Ferdinand Krackowizer - Franz Berger, Biographisches Lexikon des Landes Österreich ob der Enns. Passau-Linz 1931, Frontispiz; Nowak Abb.225; Hansen S.30; Schöny F 10
Anmerkungen: Diese Photographie war Vorlage für verschiedene Drucke noch zu Lebzeiten Bruckners, siehe Nr.25, 33 f. und 56 f.; spätere Nachbildungen siehe Nr.93, 124, 137, 142 und vielleicht auch 184. Auch das Ölgemälde von Franz Antoine (siehe Nr.38) wurde vielleicht nach dieser Vorlage gemalt. - Die Reproduktion bei Krackowizer-Berger trägt den Vermerk "Aufnahme von Ernst Fürböck" und zeigt eine mit eigenhändiger Widmung Bruckners an August Göllerich versehene Hanfstaengl-Photographie.

Künstler: Hermann Kaulbach, München
Darstellung: Brustbild, Profil nach links; rechts unten bezeichnet "H. Kaulbach 11.März 1885"
Gattung: Gemälde
Material: Ölfarben auf Karton oder Holz
Format: 74 x 56 cm
Vorlage: nach der Natur, anläßlich Bruckners Besuch in München vom 8. bis 13.3.1885
Besitzer: Oberösterreichisches Landesmuseum, Linz, Sign. G 297 (von Gräfin Lamberg/Schloß Trautenfels 1938 erworben); Photographie mit eigenhändiger Widmung Kaulbachs an Bruckner von 1885 (Format 17 x 11,5 cm) Stadtmuseum Linz Nordico; Photographie (Gesamtformat 17 x 11,5 cm, Bildausschnitt 13,2 x 9,8 cm) Oberösterreichisches Landesmuseum, Bibliothek, Linz PF III 18/3; Gesellschaft der Musikfreunde, Archiv, Wien
Literatur: zur Entstehung des Bildes Göll.-A. 4/2, S.281 ff.
Reproduktionen: Photographie Bruckmann's Portrait-Collection Nr.218, Verlagsanstalt für Kunst und Wissenschaft, vormals Friedrich Bruckmann in München; Neue Musik-Zeitung 23(1902) Nr.13, S.171; Gräflinger 1927, Taf.16; Haas Taf.1; Fischer Abb.186; Wagner S.165; Schöny G 3
Anmerkungen: Bruckner war mit diesem Gemälde nicht zufrieden und "wollte immer, daß anders gemalt würde. 'Bitt' Sie, Meister, d' Nasen a bißerl kloaner, i' hab' do' kan so fürchterliche Nas'n.' Kaulbach amüsierte sich sehr - - Mit aufgehobenen Händen: 'a bißl nur klaner - nehmen's von der Nas'n was weg, bitt' Ihna.'" (Göll.-A. 4/2, S.281). - Das Gemälde war Vorlage für einen Stahlstich (siehe Nr.21). - Die "Bruckner Noten" aus Schokolade, hergestellt in Linz, tragen auf der Verpackung das Kaulbach-Gemälde im Oval (6 cm).

20 a-c (ohne Bild)   **um 1885**

Künstler: Carl Hofmeister, Wien
Darstellung: a) Bruckner am Klavier; b) Bruckner an der Tafel; c) Bruckner über die Stiege steigend
Gattung: Karikaturen
Material: Bleistift auf Papier
Format: auf Blättern aus einem Quartheft
Vorlage: nach der Natur
Besitzer: unbekannt
Literatur: Carl Hruby, Meine Erinnerungen an Anton Bruckner. Wien 1901, S.11
Reproduktionen: -
Anmerkungen: Carl Hruby (1869-1940), Privatlehrer und Schriftsteller in Wien; sein Sohn Leon, wohnhaft in Wien, hat diese Karikaturen (laut Rücksprache der Verfasserin 1989) nicht mehr gesehen.

Künstler: G. oder J. Ulrich (Bild), Meisenbach (Stich), Straßburg
Darstellung: Brustbild (nach Kaulbach), im Oval, umgeben von Schwänen, Füllhörnern, Blumen, Früchten, Instrumenten und Noten; links unten bezeichnet "Meisenbach", rechts unten "G. [oder J.] Ulrich"
Gattung: Stahlstich, Druck
Material: Papier
Format: gesamt 7 x 10,5 cm; Oval 4 x 3 cm
Vorlage: Gemälde (siehe Nr.19)
Besitzer: Österreichische Nationalbibliothek, Musiksammlung, Wien, Sign. MS 11.998
Literatur: Renate Grasberger, Werkverzeichnis Anton Bruckner (WAB). Tutzing 1977, S.96 und 214 f.
Reproduktionen: ebenda WAB 90, Abb.43 auf S.215
Anmerkungen: Erstausgabe von Bruckners Chor Um Mitternacht, in: Straßburger Sängerhaus. Sammlung bisher ungedruckter musikalischer und poetischer Blätter in autographischer Darstellung dem Straßburger Männer-Gesangverein gewidmet... Straßburg: Selbstverlag 1886. Faksimile und Druck.

Photograph: Anton Paul Huber, Wien
Darstellung: Dreiviertelfigur, stehend, etwas nach links, mit Franz Joseph-Orden
Gattung: Photographien
Format: Kabinettformat 17,5 x 11 cm
Besitzer: a,b) Oberösterreichisches Landesmuseum, Bibliothek, Linz, Sign. PF III 18/7; Historisches Museum der Stadt Wien I.N. 56.710/c; c) Historisches Museum der Stadt Wien I.N. 56.710/d
Literatur: zu a,b) Franz Gräflinger, Ein unbekanntes Brucknerbild, in: Das Orchester 7(1930) S.121; Göll.-A. 4/2, S.491 f.
Reproduktionen: a,b) Nowak Abb.245; Bruckner-Katalog Wien 1974, S.42; Bruckner-Katalog Linz 1977, Frontispiz (Ausschnitt); Hansen S.286; Schöny F 12a; c) Göll.-A. 2/2, nach S.368; Orel 1936, Abb.42; Fischer Abb.180; Schöny F 12b
Anmerkungen: Die Verleihung des Ritterkreuzes des Franz Joseph-Ordens an Anton Bruckner fand am 8.7.1886 statt. - Der Orden wurde am 2.12.1849 gestiftet "zur Belohnung für Jene, die sich durch unerschütterliche, thätig bewährte Anhänglichkeit an Kaiser und Vaterland im Krieg oder Frieden, durch besonders wichtige, für das allgemeine Wohl geleistete Dienste, durch wahrhaft nützliche Erfindungen, Entdeckungen oder Verbesserungen, durch eifrige und folgenreiche Beförderung und Hebung der Bodencultur, der einheimischen Industrie oder des Handels ausgezeichnet oder sich durch her-

vorragende Leistungen um Kunst oder Wissenschaft, durch aufopferndes Wirken um die leidende Menschheit oder auf irgend eine andere Weise um Unseren Thron und Unser Reich verdient gemacht und sich begründete Ansprüche auf den Dank des Vaterlandes und auf eine öffentliche Anerkennung erworben haben" (vgl. Carl Ed. Klopfer, Unser Kaiser. Wien 1898, S.50 [Abb.] und 60 [Text]).

Das Ritterkreuz
des Franz Josefs-Ordens.

23 a,b   **1886**

Künstler: Fritz von Uhde, München
Darstellung: "Das Abendmahl Christi", Bruckner als Apostel links am Tischende sitzend, Profil nach rechts
Gattung: Gemälde
Material: Ölfarben auf Leinwand
Format: 206 x 324 cm
Vorlage: Porträtskizze nach der Natur
Besitzer: Staatsgalerie Stuttgart
Literatur: Linzer Zeitung 8.6.1899; Fritz v. Uhde und Anton Bruckner, in: Deutsche Kunst- und Musikzeitung 27(1900) S.150; Musica Divina 10(1922) S.29; Göll.-A. 4/2, S.285 f.; Wilhelm Zentner, Anton Bruckner und München, in: Der Baiern-Kalender. München 1948, S.115 ff.; Franz Gräflinger, Liebes und Heiteres um Anton Bruckner. Wien 1948, S.19 f.; Abendroth S.96; Rolf Keller, Stuttgart, Anton Bruckner und Fritz von Uhde. Zur Wiederentdeckung des Gemäldes "Das Abendmahl" in der Staatsgalerie Stuttgart, in: Bruckner-Jahrbuch 1984/85/86. Linz 1988, S.85-101
Reproduktionen: Haas Taf.V; Abendroth S.98; Nowak Abb.228 f.; Wagner S.164; Hansen S.12; Schöny G 4

Anmerkungen: Ausstellungen: 1886 Berliner Jubiläumsausstellung, 1887 Pariser Salon, 1888 Münchener Jubiläumsausstellung. Besitzer: bis 1908 geh. Hofrat Ernst Seeger, Berlin; 1908-1939 Kommerzialrat Arnold; 1939-1958 Prof. Bernhard Carl Lucki, Berlin, später Stuttgart; 1958-1975 Gertrud Schnürle, Stuttgart, die das Bild der Staatsgalerie Stuttgart gestiftet hat; dort ist es seit 1984 ausgestellt (diese Informationen und die Ausschnitts-Farbphotographie erhielten wir dankenswerterweise von Prof. Dr. Rolf Keller, Leonberg). - Bruckner wehrte sich dagegen, als Apostel beim Abendmahl dargestellt zu werden: "I bi' ja gar nöt würdig, in der G'söllschaft der Apostel z' sein" (Göll.-A. 4/2, S.286).

24 **1886**

Künstler: Heinrich Gröber, Wien
Darstellung: ganze Figur, stehend in Verbeugung, Profil nach rechts, mit Beschriftung "Küß d' Hand!"; rechts unten bezeichnet "H G 21/3 86"
Gattung: Zeichnung, Karikatur
Material: Kohle oder Bleistift auf Papier
Format: unbekannt; Reproduktion (Gräflinger) 11,9 x 6,1 cm
Vorlage: unbekannt
Besitzer: unbekannt; Photographie Österreichische Nationalbibliothek, Porträtsammlung und Bildarchiv, Wien, Sign. 92.098
Literatur: Göll.-A. 4/4, S.283
Reproduktionen: Gräflinger 1927, Taf.42; Schöny K 3
Anmerkungen: Laut Schöny war die Zeichnung noch 1927 in Privatbesitz feststellbar.

25 **1886**

Künstler: unbekannt, Köln ?
Darstellung: Brustbild, Dreiviertelprofil nach rechts, mit faksimilierter Unterschrift Bruckners
Gattung: Stahlstich, Zeitungsdruck
Material: Papier
Format: unbekannt; Druck 13,6 x 12,5 cm
Vorlage: Photographie (siehe Nr.18)
Besitzer: unbekannt
Literatur: -
Reproduktionen: Neue Musik-Zeitung 7(1886) Nr.2, Titelblatt
Anmerkungen: Graphik zum Artikel von Hans Kleser, Anton Bruckner (ebenda S.13 f.).

Künstler: Ludwig Grandé, Wien
Darstellung: ganze Figur, stehend, etwas nach links, mit Beschriftung rechts unten "Professor Bruckner Wien 1887 L Grande"
Gattung: Zeichnung, Karikatur
Material: Bleistift oder Kohle auf Papier
Format: unbekannt; Photographie 12,2 x 8,3 cm
Vorlage: nach der Natur porträtiert, Statur ergänzt?
Besitzer: Original verschollen; Photographie Historisches Museum der Stadt Wien I.N. 134.392
Literatur: -
Reproduktionen: Schöny K 4
Anmerkungen: Bruckner hält Schlapphut und Taschentuch in seinen Händen; beide Gegenstände sind in Anekdoten und Erinnerungsberichten oft beschrieben worden.

27 a-c   **1888**

Künstler: Franz Antoine, Wien
Darstellung: Kopf, Profil nach links, mit faksimilierter Unterschrift Bruckners; rechts unten bezeichnet "Fr. Antoine 1888"
Gattung: Zeichnung
Material: Rötel oder Bleistift auf Papier; Postkarte Druck in Brauntönung
Format: unbekannt; Postkarte gesamt 9,2 x 14,3 cm, Bildfeld 7,2 x 9,9 cm
Vorlage: "Gezeichnet bei einer Probe im Akademischen Wagnerverein" (gedruckter Text außerhalb der Umrahmung)
Besitzer: unbekannt; Postkarten u.a. Anton Bruckner-Institut Linz
Literatur: -
Reproduktionen: Postkarte Verlag "Franz Kehle, Wien 1, Opernring 21", in zwei hinsichtlich Umrahmung und Beschriftung unterschiedlichen Auflagen, 3.Variante unbekannter Verlag; Gräflinger 1927, Taf.17; Bruckner-Katalog Linz 1977, S.7; Schöny G 5
Anmerkungen: -

28   **1888**

Künstler: Ferry Bératon, Wien
Darstellung: Halbfigur, im Lehnstuhl sitzend, etwas nach rechts; rechts oben bezeichnet "Ferry Bératon 88"
Gattung: Gemälde
Material: Ölfarben auf Leinwand
Format: 58 x 50 cm
Vorlage: wahrscheinlich nach der Natur

Besitzer: Stadtmuseum Linz Nordico Inv.Nr. 453
Literatur: Heinrich Damisch, Ein unbekanntes Ölbild Anton Bruckners, in: Wiener Figaro 10(1940) Jänner-März, S.1 f.
Reproduktionen: Bruckner-Katalog Linz 1964, Frontispiz; Nowak, Frontispiz und Umschlag; Schöny G 6
Anmerkungen: Das Gemälde diente vielleicht als Vorlage für ein späteres desselben Künstlers (siehe Nr.32). - Im Geburtshaus Bruckners in Ansfelden hängt eine Kopie des Gemäldes, ein Auftragswerk des Landes Oberösterreich von Franz Glaubacker (1974; siehe Bruckner-Ikonographie Teil 2).

29   **1888-1892**

Künstler: Leopold Columban Welleba, Wien
Darstellung: Bruckner (fast ganze Figur, an einer Orgel sitzend, Profil nach links) und Hans Richter, mit Beschriftung "Hans Richter und Anton Bruckner"; rechts unten bezeichnet "L. Welleba"
Gattung: Aquarell
Material: Wasserfarben auf Papier
Format: 17 x 12 cm
Vorlage: wahrscheinlich aus der Erinnerung
Besitzer: Österreichische Nationalbibliothek, Musiksammlung, Wien, Sign. F 42 Welleba 331
Literatur: Bruckner-Katalog Wien 1974, S.108
Reproduktionen: ebenda
Anmerkungen: Leopold C. Welleba hat in seinen "Erinnerungen aus meiner Hofsängerknabenzeit 1888-1892" Personen und Augenblicksbilder aus der Tätigkeit der Hofsängerknaben festgehalten. Die Bilder (siehe Nr.29-31) sind wahrscheinlich später aus der Erinnerung gemalt worden.

30   **1888-1892**

Künstler: Leopold Columban Welleba, Wien
Darstellung: Dreiviertelfigur, an einer Orgel sitzend, Profil nach rechts, von hinten gesehen, mit Beschriftung "Die andere Welt"; rechts unten bezeichnet "L. Welleba"
Gattung: Aquarell
Material: Wasserfarben auf Papier
Format: 7,6 x 10,8 cm
Vorlage: wahrscheinlich aus der Erinnerung
Besitzer: Österreichische Nationalbibliothek, Musiksammlung, Wien, Sign. F 42 Welleba 331
Literatur: -
Reproduktionen: -
Anmerkungen: siehe Nr.29.

Künstler: Leopold Columban Welleba, Wien
Darstellung: Bruckner (ganze Figur, stehend, Kopfprofil nach rechts) und
Leopold C. Welleba, mit Beschriftung "Ein Wiedersehen nach Jahren";
rechts unten bezeichnet "L. Welleba"
Gattung: Aquarell
Material: Wasserfarben auf Papier
Format: 15 x 12,5 cm
Vorlage: wahrscheinlich aus der Erinnerung
Besitzer: Österreichische Nationalbibliothek, Musiksammlung, Wien, Sign.
F 42 Welleba 331
Literatur: -
Reproduktionen: -
Anmerkungen: siehe Nr.29.

Künstler: Ferry Bératon, Wien
Darstellung: Halbfigur, im Lehnstuhl am Klavier sitzend, etwas nach rechts,
mit Noten; rechts oben bezeichnet "Ferry Bératon 89"
Gattung: Gemälde
Material: Ölfarben auf Leinwand
Format: 86 x 75,5 cm
Vorlage: nach der Natur oder nach dem Gemälde von 1888 (siehe Nr.28)
Besitzer: Historisches Museum der Stadt Wien I.N. 16.837
Literatur: Der Maler im Freundeskreis Anton Bruckners, in: Österreichi-
scher Musik- und Sänger-Almanach 1937, S.38-41
Reproduktionen: Gräflinger 1927, Taf.12; Orel 1949, S.122; Grebe S.93;
Schöny G 7
Anmerkungen: Das Bild wurde 1897 aus dem Nachlaß Bruckners erworben.

Künstler: Franz Xaver Kilian v. Gayrsperg, Wien
Darstellung: Brustbild, Dreiviertelprofil nach rechts; rechts unten bezeich-
net "Kilian von Gayrsperg 89."
Gattung: Stahlstich, Zeitungsdruck
Material: Papier
Format: unbekannt; Druck 19,5 x 22 cm
Vorlage: Photographie (siehe Nr.18)
Besitzer: unbekannt
Literatur: -
Reproduktionen: Neuigkeits-Welt-Blatt, Wien 15.10.1896, S.25

Anmerkungen: Dieser Stahlstich erschien mit einem Gedenkartikel zwei Tage nach Bruckners Tod: Dr. Anton Bruckner +. Der größte derzeitige Symphoniker Österreichs gestorben (ebenda).

34   **1889**

Künstler: R. Loes, ?
Darstellung: Brustbild, Dreiviertelprofil nach rechts; links unten bezeichnet "R. Loes 89.", rechts unten unlesbar
Gattung: Zeichnung
Material: Bleistift auf Papier
Format: unbekannt; Postkarte 13,5 x 8,5 cm
Vorlage: Photographie (siehe Nr.18)
Besitzer: unbekannt; Postkarte Rotraud Falk, Linz
Literatur: -
Reproduktionen: Postkarte "3162 Verl. Herm. Leiser Berlin, Wien"; Die Musik 6(1906/07) 1.Quartal, nach S.64; Grebe S.78
Anmerkungen: Die Abbildungen in Die Musik und bei Grebe sind beide fälschlich mit "R. Loer" bezeichnet. - Das Erscheinungsjahr der Postkarte ist unbekannt.

35 a,b   **um 1890**

Photograph: Felix Vismara, Linz
Darstellung: Brustbild, Kopf Viertelprofil nach links
Gattung: Photographie
Format: Visitformat 10,5 x 6,5 cm; Postkarte 14 x 9 cm
Besitzer: Oberösterreichisches Landesmuseum, Bibliothek, Linz, Sign. PF I 3/3; Vergrößerung Linzer Singakademie, vormals Liedertafel "Frohsinn", Linz; Originalpostkarte des Photographen (Ausschnitt) Anton Bruckner-Institut Linz
Literatur: -
Reproduktionen: Postkarte (Ausschnitt) mit Prägestempel der Firma Vismara, Linz; Postkarte (Ausschnitt in geschmücktem Medaillon vor Ansicht von Ansfelden), gestaltet von "G. Becker, Linz"; Franz Brunner, Dr. Anton Bruckner. Ein Lebensbild. Linz 1895, S.3; Gräflinger 1927, Taf.11 (fälschlich Nunwarz als Photograph angegeben); Göll.-A. 4/4, vor S.9; Schöny F 11
Anmerkungen: Diese Photographie ist wahrscheinlich die Vorlage für das Ölgemälde von Josef Büche (1893, siehe Nr.66) und vielleicht auch für das von Anton Miksch (1893, siehe Nr.67). - Die im Besitz der Familie Hueber, Vöcklabruck, befindliche Postkarte von "G. Becker" ist an Bruckners Nichte Laura Hueber gerichtet.

Photograph: Anton Paul Huber, Wien
Darstellung: Brustbild, Profil nach links
Gattung: Photographie
Format: a,b) Kabinettformat 17,4 x 11 cm; **c,d)** Visitformat 11 x 7 cm; **e,f)** Postkarte 14 x 9 cm
Besitzer: a,b) Österreichische Nationalbibliothek, Porträtsammlung und Bildarchiv, Wien, Sign. P 373 C (3 E); Oberösterreichisches Landesmuseum, Bibliothek, Linz, Sign. PF III 18/5; **c,d)** Historisches Museum der Stadt Wien I.N. 60.316/19; Oberösterreichisches Landesmuseum, Bibliothek, Linz, Sign. PF I 3/2; **e,f)** Österreichische Nationalbibliothek, Musiksammlung, Wien, Sign. F 28 Göllerich 411 bzw. 393; Photographie nach Zeitungsdruck unbekannter Herkunft (rechts unten bezeichnet "EGW [?]") Stadtarchiv Linz, Neues Rathaus
Literatur: -
Reproduktionen: Österreichische Musik- und Theaterzeitung 8(1895) Nr.6-7; Postkarte (Abb.e) "Druck und Verlag von Haas in Steyr" um 1898; Postkarte (Abb.f) "Druckerei Prietzel, Steyr, 1925" und weitere Auflagen; Gräflinger 1927, Taf.21; Grebe S.133; Schöny F 14
Anmerkungen: Die Kabinettformat-Photographie im Oberösterreichischen Landesmuseum hat die Datierung "21.3.1895", dürfte aber früher entstanden sein, vielleicht gleichzeitig mit der folgenden (siehe Nr.37). - Die Visitformat-Photographie im Oberösterreichischen Landesmuseum hat die Aufschrift von der Hand Bruckners "Dem hochverehrten Frl. Anna Rogl in innigster Verehrung. Dr. Anton Bruckner." - Das Anton Bruckner-Institut Linz besitzt eine auf der Vorderseite eigenhändig "Dr. A Bruckner" unterzeichnete, auf der Rückseite mit "erhalten d. M. Preiner" (siehe Nr.39) beschriebene Photographie, die die gleiche Rückseite zeigt wie Nr.37. Der Photograph dürfte bei Bedarf auch später Abzüge gemacht haben. - Es gibt Postkarten aus dem Jahr 1924 und 1925 mit faksimilierter Unterschrift Bruckners und den ersten drei Takten des Agnus Dei aus seinem Requiem (bei Postkarte von 1924 mit der Verlagsnummer auf der Vorderseite links unterhalb der Notenzeile) mit dem Vermerk auf der Rückseite "Photographie, Druck und Verlag von E.Prietzel, Steyr, 1924; "925 - Druckerei Prietzel, Steyr, 1925", bei weiteren Auflagen mit den Vermerken "925/1 - Druck und Verlag von Emil Prietzel, Steyr, k.u.k. Hoflieferant/Nach einer Aufnahme vom Hofphotographen A. Huber, Wien" bzw. "925/2 - Nach einer Aufnahme vom Hofphotographen A. Huber, Wien". - Auch diese Photographie ist Vorlage für verschiedene Stiche und Drucke, siehe Nr.58, 89 f., 92, 98, 111, 118, 122, 135 f., 145, 159 f., 178, vielleicht auch 183, für Gemälde, siehe Nr.155, vielleicht auch 88 und 168, besonders wenn diese nach 1896 entstanden sind, sowie für zahlreiche Medaillen und Reliefs (siehe Nr.96 f., 131, 139 f., 149-153, 166, vielleicht auch 130, 148 und 166).

Photograph: Anton Paul Huber, Wien
Darstellung: Brustbild von vorne
Gattung: Photographie
Format: 17 x 11 cm; 17,3 x 11 cm
Besitzer: Historisches Museum der Stadt Wien I.N. 42.946/1; Oberösterreichisches Landesmuseum, Bibliothek, Linz, Sign. PF III 18/4a; PF I 3/5
Literatur: -
Reproduktionen: Neue Musik-Zeitung 23(1902) Nr.13, S.165; Gräflinger 1927, Taf.10; Bruckner-Katalog Wien 1974, Umschlag und S.32; Fischer Abb.188; Schöny F 13
Anmerkungen: Die Photographie im Historischen Museum der Stadt Wien (möglicherweise aus dem Nachlaß Bruckners) hat auf der Rückseite die Datierung "11.10.1890" und am linken oberen Rand die Notiz des Photographen "neu aufnehmen". Da sich die Rückseite der Photographie im Oberösterreichischen Landesmuseum von der im Historischen Museum der Stadt Wien unterscheidet, könnte die Photographie im Landesmuseum die Neuaufnahme sein. - Die Photographie ist Vorlage für das Gemälde von Marie v. Liel (siehe Nr.128).

38 1890

Künstler: Franz Antoine, Wien
Darstellung: Brustbild, Profil nach rechts; rechts unten bezeichnet "F. Antoine 1890."
Gattung: Gemälde
Material: Ölfarben auf Leinwand
Format: 50 x 40 cm
Vorlage: vielleicht Photographie (siehe Nr.18)
Besitzer: Historisches Museum der Stadt Wien I.N. 77.597 (aus dem Besitz des Wiener Akademischen Richard Wagner-Vereines)
Literatur: -
Reproduktionen: Schöny G 8
Anmerkungen: Der Maler hat Bruckner bei einer Probe im Wiener Akademischen Richard Wagner-Verein gezeichnet (siehe Nr.27) und noch zwei weitere Ölgemälde geschaffen (siehe Nr.88 und 168). - Dieses Ölgemälde hängt derzeit als Leihgabe in der Musiksammlung der Österreichischen Nationalbibliothek in Wien.

39 a-c 1890

Photograph: Ludwig Grillich, Wien
Darstellung: ganze Figur, fast von vorne, am Klavier in seiner Wohnung Heßgasse 7 sitzend

Gattung: Photographie
Format: 16,4 x 10,7 cm
Besitzer: Österreichische Nationalbibliothek, Porträtsammlung und Bildarchiv, Wien, Sign. L 8.790/DR; Ausschnitt Anton Bruckner-Institut Linz; Oberösterreichisches Landesmuseum, Bibliothek, Linz, Sign. III 18/8
Literatur: -
Reproduktionen: Gräflinger 1927, Taf.19; Grebe S.107; Nowak Abb.272; Bruckner-Katalog Wien 1974, S.116; Fischer Abb.191; Bruckner-Katalog Linz 1977, S.89; Auer 1982, vor S.305; Schöny F 17
Anmerkungen: Die im Anton Bruckner-Institut Linz befindliche Originalphotographie trägt auf der Rückseite folgende Beschriftungen: "Photografirt im Jahre 1890 Schottenring Hessgasse Nro.7, mit Bruckner's Feder geschrieben im Componier = und Sterbe-Zimmer k.k. Belvedere. Wien den 11ten November 1896. sein Freund bis zur letzten Stunde. Mathias Preiner. auf dem Componiersessel gesessen und geschrieben." (seitlich:) "Seine Orgel bekam bei Lebzeiten Dr Hofrath Schrötter." - Schöny datiert diese Aufnahme "1894 ?". - Ein Ausschnitt aus dieser Photographie diente vielleicht als Vorlage für einen Lichtdruck (siehe Nr.119). - Das mittlere der im Hintergrund sichtbaren Bilder ist eine Vergrößerung der aus dem Jahre 1885 stammenden Photographie Bruckners von Franz Hanfstaengl (siehe Nr.17).

40   **1890**

Photograph: Ludwig Grillich, Wien
Darstellung: ganze Figur, etwas nach links, Kopf von vorne, im Lehnsessel in seiner Wohnung Heßgasse 7 sitzend
Gattung: Photographie
Format: unbekannt; Vergrößerung 25 x 18,8 cm
Besitzer: unbekannt; Vergrößerung Österreichische Nationalbibliothek, Porträtsammlung und Bildarchiv, Wien, Inv.Nr. 117.856 E + R und 213.725 B (Platten); Stift St. Florian
Literatur: -
Reproduktionen: Nowak Abb.267; Wagner S.215; Hansen S.323; Schöny F 18
Anmerkungen: Der kleine Finger der linken Hand wurde hineinretuschiert. - Zwischen den beiden Kästen hinter Bruckners Lehnsessel hängt das Gemälde von Heinrich Ebeling (siehe Nr.11), und auf dem rechten Kasten steht eine Richard Wagner-Büste. - Schöny datiert auch diese Aufnahme "1894 ?". Ich möchte den Datierungsvermerk auf Nr.39 als richtig annehmen und diese ähnliche Photographie ebenfalls früher ansetzen.

41   **um 1890 bis 1895**

Künstler: Otto Böhler, Wien
Darstellung: ganze Figur, stehend, Profil nach links, mit dem Hut in der Hand grüßend; Mitte rechts bezeichnet "Dr O. Böhler Wien"

Gattung: geschnittene Silhouette
Material: Papier
Format: 28 x 18 cm; Blattgröße 47,5 x 31,5 cm
Vorlage: aus dem Gedächtnis?
Besitzer: Original laut Schöny 1968 noch bei Lotte Böhler-Artaria, Wien
(Schwiegertochter des Künstlers); Photographie Historisches Museum der
Stadt Wien I.N. 134.084
Literatur: -
Reproduktionen: Schöny G 17a
Anmerkungen: Laut Schöny ist es vermutlich die erste Bruckner-Darstellung
Otto Böhlers, also noch vor den Serien.

42   **um 1890 bis 1895**

Künstler: Otto Böhler, Wien
Darstellung: Dreiviertelfigur, Profil nach links, im Belvederegarten in Wien;
links unten bezeichnet "B [in] O"
Gattung: geschnittene Silhouette
Material: Papier in zwei Schichten
Format: 21 x 28 cm
Vorlage: aus dem Gedächtnis?
Besitzer: Original laut Schöny 1968 noch bei Susanne v. Erb, Wien (Enkelin
des Künstlers); Photographie Anton Bruckner-Institut Linz
Literatur: -
Reproduktionen: Orel 1925, Taf.3; Gräflinger 1927, Taf.49; Schöny G 17b
Anmerkungen: -

Zu Nr.43, 45, 47 f., 50 f., 61, 94, 100 f. und 105:

"Dr. Otto Böhler's Schattenbilder"
(vgl. Schöny S.68)

"Neben Einzelblättern gibt es Serien:
A eine Serie in Photokopie mit unnumerierten Blättern und
B eine Ausgabe (in zwei Größen: Quart und Folio) in Drucken (numerierte
Blätter in Kartonmappen, die erst 1914 herauskamen, mit einer Einleitung
von Max Hayek, 1913, anläßlich des Ablebens von Böhler), später im
Werckmeister-Verlag Berlin neuerlich herausgegeben.
Von der Ausgabe A konnte bisher kein mit Sicherheit vollständiges Exem-
plar (etwa in Mappe) gefunden, auch nicht die zugehörige Anzahl der Blät-
ter festgestellt werden. Die einzelnen Blätter sind bedruckt mit 'Dr. OTTO
BÖHLER's SCHATTENBILDER', ohne Jahreszahl, erschienen bei R.
Lechner, k.u.k. Hof- und Univ. Buchhandlung, (Wilh. Müller) k.u.k. Hof-
Manufactur für Photographie, Wien, Graben 31. Die Ausgabe umfaßt (min-

destens) sechs Darstellungen Bruckners, die vielleicht anläßlich seines Able-
bens aus bereits existierenden Originalen in privatem oder öffentlichem Be-
sitz zusammengestellt und einheitlich photographiert herausgegeben wur-
den:"
Serie A Nr.1. Bruckner dirigierend (siehe Nr.51)
   Nr.2. Bruckner an der Orgel (siehe Nr.43)
   Nr.3. Wagner bietet Bruckner die Schnupftabaksdose (siehe Nr.45)
   Nr.4. Bruckner und Hanslick (siehe Nr.50)
   Nr.5. Bruckner in der Opernloge bei "Götterdämmerung" (siehe Nr.47)
   Nr.6. Bruckners Empfang im Himmel (siehe Nr.94)
"Eine Serie der Ausgabe B (1914, Drucke in Mappe) umfaßte 20 numerierte
Blätter, auf sieben kommt Bruckner vor (Blatt Nr.2, 5, 8, 9, 16, 19, 20). Daraus geht hervor, daß diese Mappe nicht mehr wegen Bruckner allein heraus-
gebracht wurde. Aus der erstgenannten Serie sind nur die Darstellungen 2
und 6 übernommen. Da die Bruckner-Darstellungen der zweiten Serie z.T.
auch auf ältere Originale zurückgehen, außerdem die später datierten (1897,
1899) von Böhler aus demselben guten und sicheren Gedächtnis geschaffen
wurden, wie es Schwind einige Jahrzehnte früher bei Schubert und anderen
seiner Jugendfreunde getan hatte, so seien diese sieben Darstellungen
Bruckners angeschlossen:"
Serie B Nr.2. Wagner und Bruckner händeschüttelnd (siehe Nr.48)
   Nr.5. Bruckner neben Hans Richter nach einem Konzert (siehe Nr.60)
   Nr.8. Bruckner an der Orgel (siehe Nr.43)
   Nr.9. Bruckners Empfang im Himmel (siehe Nr.94)
   Nr.16. Bruckner im Himmel bei "Heut' spielt der Strauß" (siehe Nr.108)
   Nr.19. Ankunft Brahms' im Himmel (siehe Nr.103)
   Nr.20. Schuberts 100. Geburtstag (siehe Nr.102).

152

Künstler: Otto Böhler, Wien
Darstellung: ganze Figur, an einer Orgel sitzend, Profil nach rechts, und vier die Symbole für Glaube, Hoffnung und Liebe haltende Engel
Gattung: geschnittene Silhouette
Material: Papier in zwei Schichten
Format: 31,5 x 21,2 cm
Vorlage: aus dem Gedächtnis?
Besitzer: Stift St. Florian (aufbewahrt im Brucknerzimmer); Photographie Österreichische Nationalbibliothek, Porträtsammlung und Bildarchiv, Wien, Sign. Pf 373 E (1); Historisches Museum der Stadt Wien I.N. 134.400; Gesellschaft der Musikfreunde, Archiv, Wien; Oberösterreichisches Landesmuseum, Bibliothek, Linz (Bildgröße 21,3 x 13,3 cm)
Literatur: -
Reproduktionen: Die Musik 1(1901/02) H.10, Anhang, Text dazu S.940; Gräflinger 1927, Taf.47; Göll.-A. 2/1, nach S.320; Grebe S.68; Fischer Abb.121; Auer 1982, vor S.161; Schöny G 17c
Anmerkungen: Serie A Nr.2; Serie B Nr.8.

Künstler: Otto Böhler, Wien
Darstellung: Halbfigur, an einer Orgel sitzend, Profil nach links, mit vier Engeln in einem Kirchenfenster
Gattung: geschnittene Silhouette
Material: Papier in Schichten geklebt
Format: 28,6 x 21,5 cm
Vorlage: aus dem Gedächtnis?
Besitzer: Stadtmuseum Linz Nordico Inv.Nr. 8.129
Literatur: -
Reproduktionen: Postkarte "Deutsche Künstler-Postkarten Ser.XX. No.5. Verlag von K. W. Emil Müller, Stuttgart" mit der Bildunterschrift "Dr. O. Böhler: Anton Bruckner"
Anmerkungen: -

Künstler: Otto Böhler, Wien
Darstellung: Richard Wagner reicht Bruckner (Dreiviertelfigur, nach links) seine Schnupftabaksdose
Gattung: geschnittene Silhouette
Material: Papier in zwei Schichten
Format: 28,5 x 21 cm; Photographie, auf Karton aufkaschiert, Bildgröße 21 x 15,5 cm, Blattgröße 24,8 x 18,3 cm
Vorlage: aus dem Gedächtnis?

Besitzer: Original laut Schöny 1968 noch bei Dr. Richard Rea, Wien; Photographie Oberösterreichisches Landesmuseum, Linz, Bibliothek
Literatur: -
Reproduktionen: Gräflinger 1927, Taf.45; Abendroth S.66; Grebe S.81; Fischer Abb.175; Auer 1982, nach S.304; Schöny G 17d 1
Anmerkungen: Serie A Nr.3.

46   **um 1890 bis 1895**

Künstler: Otto Böhler, Wien
Darstellung: Richard Wagner reicht Bruckner (ganze Figur, stehend, nach links) seine Schnupftabaksdose (Variante zu Nr.45)
Gattung: geschnittene Silhouette
Material: Papier, auf Karton aufkaschiert
Format: Bildgröße 18 x 16,5 cm, Blattgröße 24,8 x 18,2 cm
Vorlage: aus dem Gedächtnis?
Besitzer: Historisches Museum der Stadt Wien I.N. 68.611 (aus dem Wiener Akademischen Richard Wagner-Verein)
Literatur: -
Reproduktionen: Schöny G 17d 2
Anmerkungen: Diese auf Karton aufkaschierte Silhouette ist ein Originalscherenschnitt; man sieht die Vorzeichnung und die Schnittränder.

47   **um 1890 bis 1895**

Künstler: Otto Böhler, Wien
Darstellung: Szene Siegfried-Brünnhilde aus dem 1.Akt Götterdämmerung mit Zuschauerraum-Ausschnitt, Bruckner in der untersten Loge am linken Rand, Kopf im Profil nach rechts; rechts unten bezeichnet "B [in] O"
Gattung: geschnittene Silhouette
Material: Papier in drei Schichten
Format: unbekannt; Photographie, auf Karton aufkaschiert, Bildgröße 16 x 20,7 cm, Blattgröße 18,3 x 24,7 cm
Vorlage: aus dem Gedächtnis?
Besitzer: Original verschollen; Photographie Historisches Museum der Stadt Wien I.N. 132.886
Literatur: -
Reproduktionen: Bruckner-Katalog Wien 1974, S.72; Schöny G 17l
Anmerkungen: Serie A Nr.5. - Hans Richter dirigiert, zahlreiche Persönlichkeiten des Wiener Musiklebens sind unter den Zuhörern zu erkennen.

48   **um 1890 bis 1895**

Künstler: Otto Böhler, Wien
Darstellung: Bruckner (ganze Figur, stehend, nach links) wird von Richard Wagner begrüßt; mit Beschriftung "Bruckner in Bayreuth"

Gattung: geschnittene Silhouette
Material: Papier in zwei Schichten
Format: unbekannt; Photographie, auf Karton aufkaschiert, Bildgröße 21,3 x 15,3 cm, Blattgröße 25 x 18,3 cm
Vorlage: aus dem Gedächtnis?
Besitzer: Original verschollen; Photographie Oberösterreichisches Landes museum, Bibliothek, Linz
Literatur: -
Reproduktionen: Die Musik 1(1901/02) H.6, Anhang; Gräflinger 1927, Taf.44; Grebe Umschlag-Rückseite; Bruckner-Katalog Wien 1974, S.16; Hansen S.17; Schöny G 17h 1
Anmerkungen: Serie B Nr.2.

49   **um 1890 bis 1895**

Künstler: Otto Böhler, Wien
Darstellung: Bruckner (ganze Figur, stehend, nach links, mit Notenrolle) wird von Richard Wagner begrüßt (Variante zu Nr.48); mit Beschriftung "Bruckner in Bayreuth"
Gattung: geschnittene Silhouette
Material: Papier in Schichten
Format: unbekannt; Photographie, auf Karton aufkaschiert, Bildgröße 19,7 x 13,8 cm, Blattgröße 25 x 18,2 cm
Vorlage: aus dem Gedächtnis?
Besitzer: Original verschollen; Photographie Oberösterreichisches Landes-museum, Bibliothek, Linz
Literatur: -
Reproduktionen: Fischer Abb.153; Schöny G 17h 2
Anmerkungen: -

50   **um 1890 bis 1895**

Künstler: Otto Böhler, Wien
Darstellung: Bruckner (ganze Figur, stehend, nach links) und Eduard Hans-lick, einander begrüßend
Gattung: geschnittene Silhouette
Material: Papier in zwei Schichten, überarbeitet
Format: unbekannt; Photographie, auf Karton aufkaschiert, Bildgröße 13,6 x 18,3 cm, Blattgröße 18,3 x 24,8 cm
Vorlage: aus dem Gedächtnis?
Besitzer: Original verschollen; Photographie Österreichische Nationalbi-bliothek, Porträtsammlung und Bildarchiv, Wien, Sign. Pf 373 E (2); Histori-sches Museum der Stadt Wien I.N. 134.397; Oberösterreichisches Landes-museum, Bibliothek, Linz

Literatur: -
Reproduktionen: Gräflinger 1927, Taf.43; Bruckner-Katalog Wien 1974, S.28; Hansen S.20; Schöny G 17i
Anmerkungen: Serie A Nr.4.

51 a,b   **um 1890 bis 1895**

Künstler: Otto Böhler, Wien
Darstellung: ganze Figur von hinten, stehend, nach rechts, dirigierend, mit Notenpult
Gattung: geschnittene Silhouette
Material: Papier
Format: unbekannt; **a)** Reproduktion gesamt 31 x 23,5 cm, Bildgröße 20,9 x 10,7 cm; **b)** Postkarte 14,4 x 9,6 cm
Vorlage: aus dem Gedächtnis?
Besitzer: Original verschollen; **a)** Historisches Museum der Stadt Wien I.N. 32.162; **b)** Österreichische Nationalbibliothek, Musiksammlung, Wien, Sign. F 28 Göllerich 395
Literatur: -
Reproduktionen: a) Werckmeister Kunstverlag Berlin; **b)** Postkarte (siehe oben); Abendroth S.70; Grebe S.70; Fischer Abb.151; Bruckner-Katalog Wien 1974, S.85; Wagner S.128; Schöny G 17k
Anmerkungen: Serie A Nr.1. - Die Reproduktion des Werckmeister Kunstverlages hat links unterhalb der Silhouette die Beschriftung "nach Dr. Otto Böhler". - Postkarte (siehe oben) von Franz Schaumann an August Göllerich vom 14.9.1910, mit eingezeichneten Noten. - Varianten siehe Nr.52 und 53.

52   **um 1890 bis 1895**

Künstler: Otto Böhler, Wien
Darstellung: ganze Figur von hinten, stehend, nach rechts, dirigierend, mit Notenpult (1.Variante zu Nr. 51 a,b)
Gattung: geschnittene, zeichnerisch überarbeitete (z.B. Haare) Silhouette
Material: Papier
Format: Bildgröße 21 x 15 cm, Blattgröße 23 x 16 cm, Figur 19 x 10 cm
Vorlage: vielleicht Silhouette (siehe Nr.51 a,b)
Besitzer: Österreichische Nationalbibliothek, Porträtsammlung und Bildarchiv, Wien, Sign. Pf 373:D(1)
Literatur: Nowak S.314
Reproduktionen: Nowak S.112
Anmerkungen: Laut Leopold Nowak "sehr wahrscheinlich auch von Otto Böhler". - Von Nr.51 a,b unterscheidet sich diese Silhouette hinsichtlich Notenpult, Haaren und Wimpern.

Künstler: Otto Böhler, Wien
Darstellung: ganze Figur von hinten, stehend, nach rechts, dirigierend, mit Notenpult (2.Variante zu Nr. 51 a,b)
Gattung: geschnittene Silhouette
Material: Papier
Format: unbekannt; Reproduktion 11,9 x 5,6 cm
Vorlage: vielleicht Silhouette (siehe Nr.51 a,b)
Besitzer: unbekannt
Literatur: -
Reproduktionen: Göll.-A. 4/1, vor S.321
Anmerkungen: Diese Variante unterscheidet sich von Nr.51 a,b und 52 in der Haltung Bruckners: Der linke Arm ist etwas tiefer und überdeckt etwas die Auflagefläche des Notenpultes, die hier schwarz ist; außerdem fehlt der Knopf zum Verstellen der Pulthöhe. Leider ist die Silhouette bzw. die Reproduktion unten abgeschnitten.

Künstler: Otto Böhler, Wien
Darstellung: Bruckner (ganze Figur, stehend, nach rechts) und Johannes Brahms, einander begrüßend
Gattung: geschnittene Silhouette
Material: Papier in zwei Schichten
Format: 24,5 x 18,4 cm
Vorlage: aus dem Gedächtnis?
Besitzer: früher Lotte Böhler-Artaria und Susanne v. Erb, jetzt Stadtmuseum Linz Nordico Inv.Nr. 8.093/8.094
Literatur: -
Reproduktionen: Fischer Abb.177; Wagner S.188; Johannes Brahms und Anton Bruckner. Konkurrenten, in: ABIL-Informationen 2. Linz 1983, S.32
Anmerkungen: Diese Darstellung erschien auch auf einem Plakat des Brucknerhauses Linz anläßlich der Ausstellung "Johannes Brahms und Anton Bruckner. Konkurrenten", Linz 5.9.-2.10.1983.

Künstler: Viktor Tilgner, Wien
Darstellung: Büste (Halbfigur), Kopf nach links; links vorne bezeichnet "Tilgner"
Gattung: Vollplastik
Material: Bronze bzw. Gips, bronziert
Format: 85 x 70 x 55 cm

Vorlage: nach der Natur (1.Sitzung 7.11.1891)
Besitzer: Historisches Museum der Stadt Wien (1898 aus dem Nachlaß Bruckners angekauft); Repliken Gesellschaft der Musikfreunde, Wien; Wiener Männergesang-Verein, Archiv; Zimmer des Landeshauptmannes von Oberösterreich in Linz; Denkmäler in Steyr (siehe Nr.104) und Wien (siehe Nr.106)
Literatur: Carl Almeroth, Wie die Bruckner-Büste entstand. Wien 1899; Göll.-A. 4/3, S.189-195, 337, 423; 4/4, S.22, 29, 32; Franz Gräflinger, Wie die Bruckner-Büste von Tilgner entstand, in: Oberösterreichische Nachrichten 1949, Nr.142 und in: Salzkammergutzeitung 64(1958) Nr.41; ders., Als Anton Bruckner Modell stand, in: Neues Österreich 14.10.1951
Reproduktionen: Franz Gräflinger, Anton Bruckner. Bausteine zu seiner Lebensgeschichte. München 1911, nach S.80; Gräflinger 1927, Taf.25; Haas Taf.VII; Orel 1936, Abb.1; Orel 1953, Abb.13; Abendroth S.121; Grebe S.6; Nowak Abb.252; Fischer Abb.189 (in Farbe); Wagner S.22; Hansen S.317; Schöny P 1
Anmerkungen: Anlaß für diese Büste war die Verleihung des Ehrendoktorates der Universität Wien an Bruckner. - Franz Gräflinger berichtet in seinem Artikel im Neuen Österreich (siehe oben), daß die Büste von Ausstellung zu Ausstellung gewandert sei und überall ungeteilte Bewunderung gefunden habe. "Sie wurde nicht nur als die hervorragendste Schöpfung des Künstlers, sondern auch als eines der bedeutendsten Werke der Porträtplastik des Jahrhunderts bezeichnet." - Verkleinerte Ausgabe von Fritz Zerritsch (siehe Nr.105). - Die Büste diente auch als Vorlage für zahlreiche Graphiken, siehe Nr.99 f., 123, 125, 134, 175 und vielleicht 172.

56, 57   **1891**

Künstler: Friedrich Waibler, Leipzig ?
Darstellung: Brustbild, Kopf Dreiviertelprofil nach rechts; einzeln (Nr.56) bzw. links oben im Tableau mit zwölf anderen Komponisten (Nr.57; mit Beschriftung "Deutsche Componisten der Gegenwart. Nach Photographien gezeichnet von F. Waibler." und den Namen der Komponisten)
Gattung: Holzstich, Zeitungsdruck
Material: Papier
Format: Nr.56 unbekannt; Druck 7,5 x 7 cm; Nr.57 Satzspiegel der ganzseitigen Abbildung 42 x 26,5 cm
Vorlage: Photographie (siehe Nr.18)
Besitzer: Nr.56 Österreichische Nationalbibliothek, Porträtsammlung und Bildarchiv, Wien, Sign. Pf 5.268
Literatur: -
Reproduktionen: Illustrirte Zeitung, Leipzig 3.1.1891, S.17
Anmerkungen: Die anderen auf dem Tableau abgebildeten Komponisten sind Eduard Lassen, Alexander Winterberger, Felix Dräseke, Johann Joseph Abert, Joseph Sucher, Richard Heuberger, Karl Goldmark, Paul Geisler,

Heinrich Zöllner, Albert Becker, Hans v. Bronsart und Franz Wüllner. - Auf S.18 bringt die Zeitung unter dem Titel Deutsche Componisten der Gegenwart kurze Beschreibungen der Dargestellten von Bernhard Vogel.

58   1891

Künstler: unbekannt
Darstellung: Brustbild, Profil nach links, im Tableau mit neun anderen Komponisten, mittlere Reihe, zweiter von rechts; mit Beschriftung "Oesterreich-Ungarn in der Musik: Die hervorragendsten Componisten unserer Monarchie."
Gattung: Lithographie ?, Zeitungsdruck
Material: Papier
Format: Bruckner-Bild 10,5 x 6,3 cm; Satzspiegel der ganzseitigen Abbildung 34,5 x 25,5 cm
Vorlage: Photographie (siehe Nr.36)
Besitzer: Österreichische Nationalbibliothek, Porträtsammlung und Bildarchiv, Wien, Sign. 399.792-D.Bild-A
Literatur: -
Reproduktionen: Das interessante Blatt, Wien 31.12.1891, S.5
Anmerkungen: Die anderen auf dem Tableau abgebildeten Komponisten sind Ferenc (Franz) Erkel, Franz v. Suppé, Karl Millöcker, Johannes Brahms, Johann Strauß, Karl Goldmark, Eduard Kremser, Josef Hellmesberger jun. und Robert Fuchs. - Auf S.6 f. bringt die Zeitung Erläuterungen zu den Dargestellten.

59   1892

Künstler: Ferry Bératon, Wien
Darstellung: ganze Figur, in einer Landschaft sitzend, Profil nach links; mit Beschriftung "Anton Bruckners Siegesallegorie"
Gattung: Zeichnung
Material: Bleistift oder Kohle auf Papier
Format: unbekannt; Reproduktion (Die Musik) 6,6 x 8 cm
Vorlage: aus dem Gedächtnis?
Besitzer: unbekannt (nach 1935 laut Schöny Max Oberleithners Erben, Mährisch-Schönberg)
Literatur: Göll.-A. 4/3, S.16; 4/4, S.283
Reproduktionen: Die Musik 6(1906/07) H.1, nach S.64; Gräflinger 1927, Taf.24; Schöny K 5
Anmerkungen: "Maler Beraton stellt Bruckner auf einem im Besitz Max v. Oberleithners befindlichen Bild als 'Deutschen Michel' dar (mit der Zipfelhaube), wie er dem Traunstein, dem Wahrzeichen seiner oberösterreichischen Heimat gegenüber auf einem Felsen sitzend, das gegen ihn empor-

züngelnde Schlangen-Gezücht mit Steinwürfen abwehrt" (Göll.-A. 4/3, S.16, Anm.2). - "Woher stammt der Ausdruck 'Deutscher Michel'? Dieser Ausdruck wird sehr häufig gebraucht, aber sehr wenige wissen, wer der Mann war, dem man zuerst diese Benennung beilegte. - Derselbe war ein gewisser Johann Michel Obertraut und war Generalleutnant im Dienste des Königs von Dänemark. Er hatte im Dreißigjährigen Kriege den Spaniern und den kaiserlichen Völkern oft harte Schläge versetzt, und diese letzteren pflegten dann ihren erlittenen Verlust beklagend oder von ihrem Schaden sprechend immer zu sagen: 'Das haben wir dem Deutschen Michel zu danken!' Im Jahre 1625 im Treffen bei Hamwyer geriet er endlich schwer verwundet in die Gefangenschaft des kaiserlichen Generals Tilly" (Gemeindezeitung 15.3.1862, Nr.11, S.167).

60   **um 1892/93**

Künstler: Otto Böhler, Wien
Darstellung: Hans Richter (elf verschiedene Darstellungen als Dirigent in drei Reihen) und (in der unteren Reihe) Bruckner, jeweils ganze Figur, stehend, einmal von vorne, zweimal Profil nach links; mit Beschriftung "Im 'Philharmonischen'" (links oben) und "Hans <u>Richter</u> als Dirigent einer <u>Bruckner</u>'schen Symphonie" (unten)
Gattung: geschnittene Silhouette
Material: Papier
Format: unbekannt; Photographie, auf Karton aufkaschiert, Bildgröße 21 x 16,5 cm, Blattgröße 25 x 18,3 cm
Vorlage: aus dem Gedächtnis?
Besitzer: Original verschollen; Photographie Gesellschaft der Musikfreunde, Wien; Oberösterreichisches Landesmuseum, Bibliothek, Linz; die letzte Reihe der Darstellungen Österreichische Nationalbibliothek, Porträtsammlung und Bildarchiv, Wien, Sign. Pf 193.091 E (8)
Literatur: -
Reproduktionen: Gräflinger 1927, Taf.46; Abendroth S.102 f.; Grebe S.90; Fischer Abb.185; Auer 1982, S.278 f.; Schöny G 17j
Anmerkungen: Serie B Nr.5. - Hans Richter dirigierte Uraufführungen von Bruckner-Symphonien in den Jahren 1881, 1890, 1891 und 1892. Die Silhouette ist wahrscheinlich nach 1892 entstanden.

61   **um 1892/93**

Künstler: angeblich Otto Böhler, Wien
Darstellung: ganze Figur, stehend, nach rechts, mit Lorbeerkranz; mit Beschriftung unten "nach der 8ten."
Gattung: geschnittene, zeichnerisch überarbeitete Silhouette
Material: Papier in drei Schichten, mit Feder überarbeitet

Format: Höhe ca. 15 cm
Vorlage: aus dem Gedächtnis?
Besitzer: Richard Wagner-Gedenkstätte der Stadt Bayreuth Sign. N 914 (derzeit nicht verfügbar)
Literatur: -
Reproduktionen: Schöny G 17j
Anmerkungen: Diese Darstellung entstand vielleicht im Anschluß an die Schattenbilder von Hans Richter und Bruckner (siehe Nr.60), wo Bruckner mit Lorbeerkranz abgebildet ist. - Die Uraufführung der Achten Symphonie (Fassung 1890) fand am 18.12.1892 unter Hans Richter statt. - Es wird bezweifelt, ob diese etwas grob überarbeitete Silhouette wirklich von Böhler stammt.

62   **ca. 1893**

Künstler: Otto Böhler, Wien
Darstellung: Konzert Bronislaw Hubermanns im Musikvereinssaal in Wien, Bruckner in der ersten Loge rechts stehend, Profil nach links
Gattung: geschnittene Silhouette
Material: Papier in zwei Schichten
Format: 62 x 78 cm; Photographie, auf Karton aufkaschiert, Bildgröße 16,5 x 21,8 cm, Blattgröße 18,3 x 24,8 cm
Vorlage: aus dem Gedächtnis?
Besitzer: Original laut Schöny noch 1968 bei Susanne v. Erb, Baden, mit Überschrift "Bronislaw"; Photographie Oberösterreichisches Landesmuseum, Bibliothek, Linz
Literatur: -
Reproduktionen: Schöny G 17e
Anmerkungen: Bronislaw Hubermann konzertierte 1893 zum ersten Mal in Wien. - Der Musikvereinssaal ist in seiner ursprünglichen Gestalt (der Umbau erfolgte 1911) abgebildet: Die Karyatiden stehen noch vorne an den Logenbrüstungen. Im Publikum sind zahlreiche Persönlichkeiten des Wiener Musiklebens zu erkennen.

63 a,b   **ca. 1893**

Photograph: Anton Paul Huber, Wien
Darstellung: Brustbild, etwas nach links
Gattung: Photographie
Format: Visitformat 10,9 x 7 cm
Besitzer: Gesellschaft der Musikfreunde, Archiv, Wien
Literatur: Franz Gräflinger, Ein unbekanntes Brucknerbild, in: Zeitschrift für Musik 96(1929) S.695 f.; ebenso in: Bruckner-Blätter 2(1930) S.51 und Das Orchester 7(1930) S.121

Reproduktionen: Zeitschrift für Musik 96(1929) H.11; Schöny F 16a
Anmerkungen: Die Rückseite der Photographie trägt die Widmung "Meiner ausgezeichneten Kunstkollegin und so schönen Freundin Frl. Valerie Edle v. Pistor! Dr. A. Bruckner." Valerie v. Pistor (geb. 1868 in Brunn am Geb., gest. 1925 in Caco bei Lovrano, Italien) studierte in Wien Klavier, gab 1890 ihr erstes Konzert und war als Gesellschaftsdame und Erzieherin (Klavierunterricht) in Aristokratenkreisen tätig. - Die Photographie diente vielleicht als Vorlage für eine Graphik (siehe Nr.73). - Diese und die beiden folgenden Aufnahmen (siehe Nr.64 und 65) wurden am selben Tag gemacht.

64 a,b   **ca. 1893**

Photograph: Anton Paul Huber, Wien
Darstellung: Brustbild, etwas mehr nach links als Nr.63
Gattung: Photographie
Format: Kabinettformat 17 x 11 cm
Besitzer: Oberösterreichisches Landesmuseum, Bibliothek, Linz, Sign. PF III 18/1
Literatur: -
Reproduktionen: Schöny F 16b
Anmerkungen: Diese Aufnahme (Vorlage für eine Graphik, siehe Nr.91) entstand am selben Tag wie Nr.63 und 65.

65 a,b   **ca. 1893**

Photograph: Anton Paul Huber, Wien
Darstellung: Brustbild, Dreiviertelprofil nach links
Gattung: Photographie
Format: Kabinettformat 16,5 x 11 cm; Postkarte 14 x 9 cm
Besitzer: Oberösterreichisches Landesmuseum, Bibliothek, Linz, Sign. PF III 18/2; Historisches Museum der Stadt Wien I.N. 56.710 b
Literatur: -
Reproduktionen: Postkarte "Alois Schwarz, Lichtbildner, Linz" (abgebildet bei Grebe S.99); Abendroth S.109; Schöny F 16c
Anmerkungen: Diese und die beiden vorangehenden Aufnahmen (siehe Nr.63 und 64) entstanden am selben Tag. - Auf der Postkarte ist rechts in die schwarze Fläche von Bruckners Rock mit weißer Tinte "A. Bruckner" geschrieben.

66   **1893**

Künstler: Josef Büche, Wien
Darstellung: Brustbild, etwas nach links, mit Ritterkreuz des Franz Joseph-Ordens und Brillantnadel des Herzogs Max Emanuel in Bayern; links unten bezeichnet "J. Büche 1893"

Gattung: Gemälde
Material: Ölfarben auf Leinwand
Format: 68 x 55,5 cm
Vorlage: nach der Natur, aber Ähnlichkeit mit Photographie (siehe Nr.35)
Besitzer: Oberösterreichisches Landesmuseum, Linz, Inv.Nr. G 200 (derzeit in Bruckners Geburtshaus in Ansfelden)
Literatur: Göll.-A. 4/3, S.339 f.
Reproduktionen: Postkarte "JLI 2337"; Gräflinger 1927, Taf.18; Göll.-A. 4/2, vor S.5; Das Geburtshaus Anton Bruckners / Ansfelden. Führer (Kataloge des Oberösterreichischen Landesmuseums, Neue Folge Nr.18). Linz 1988, S.41; Schöny G 9
Anmerkungen: Das Gemälde war ein Auftragswerk für die Oberösterreichische Landesgalerie. Bruckner bezeichnete es "als sein 'bestes Porträt'. Besonderen Wert hatte Bruckner...darauf gelegt, daß der Maler sein 'Kavalier-Schnurrbärtchen' ja gewiß male" (Göll.-A. 4/3, S.339 f.). - Die Postkarte nach diesem Gemälde (im Anton Bruckner-Institut Linz) ist beschriftet: "Anton Bruckner, Komponist und Stifts-Organist von St. Florian. Geboren 1824 - gestorben 1896."

67   **1893**

Künstler: Anton Miksch, Linz
Darstellung: Brustbild, etwas nach links; rechts unten bezeichnet "Anton Miksch 1893/Linz"
Gattung: Gemälde
Material: Ölfarben auf Leinwand
Format: 68 x 51,5 cm
Vorlage: Photographie (siehe Nr.35), eventuell Gemälde von Josef Büche (siehe Nr.66)
Besitzer: Stift St. Florian
Literatur: -
Reproduktionen: Postkarte "Photo Hofstetter, Ried / Innkreis" (verkleinerter Ausschnitt); Gräflinger 1927, Taf.15; Schöny G 10
Anmerkungen: Das Gemälde befindet sich derzeit im Musikzimmer des Stiftes.

68   **1893**

Künstler: Otto Böhler, Wien
Darstellung: ganze Figur, stehend, Profil nach rechts, mit Hut und Schirm in oberösterreichischer Landschaft; rechts unten bezeichnet "B [in] O 1893"
Gattung: geschnittene Silhouette
Material: Papier in mehreren Schichten, Klebearbeit
Format: 39 x 27 cm; Bildausschnitt 24 x 13 cm

Vorlage: aus dem Gedächtnis?
Besitzer: Österreichische Nationalbibliothek, Musiksammlung, Wien, Sign.
F 28 Göllerich 641
Literatur: -
Reproduktionen: Die Presse, Wien 26.7.1975; Bruckner-Katalog Linz 1977,
S.10; Druck (siehe Anmerkungen)
Anmerkungen: Die Musiksammlung der Österreichischen Nationalbiblio-
thek gab 1977 einen Druck im Format 14 x 7,7 cm (ohne Rand) bzw. 15,8 x
10 cm (mit Rand) - irrtümlich "nach dem bisher unveröffentlichten Original"
- heraus.

69 a,b   **1894**

Photograph: Josef Löwy, Wien
Darstellung: Brustbild, etwas nach links, im Oval
Gattung: Photographie
Format: Kabinettformat 16,5 x 10,5 cm
Besitzer: Oberösterreichisches Landesmuseum, Bibliothek, Linz, Sign. PF
III 18/6
Literatur: -
Reproduktionen: Schöny F 19a
Anmerkungen: Diese und die beiden folgenden Aufnahmen (siehe Nr.70
und 71) sind möglicherweise aus Anlaß von Bruckners 70.Geburtstag ge-
macht worden.

70 a,b   **1894**

Photograph: Josef Löwy, Wien
Darstellung: Brustbild, etwas nach links
Gattung: Photographie
Format: 14,8 x 10,6 cm
Besitzer: Anton Bruckner-Institut Linz; Historisches Museum der Stadt
Wien I.N. 77.382
Literatur: -
Reproduktionen: Postkarte "Verlag für alle Länder: Breitkopf & Härtel,
Berlin W 9"; Photogravure (siehe Nr.117); Gräflinger 1927, Taf.14; Abend-
roth, Vorsatzbild; Grebe, Umschlag-Vorderseite; Nowak Abb.278; Bruck-
ner-Katalog Wien 1974, S.93; Hansen S.277; Schöny F 19b
Anmerkungen: siehe Nr.69. - Diese Photographie wurde Vorlage für zahlrei-
che Bruckner-Darstellungen, siehe Nr.117 (Photogravure), Nr.72 und 169
(Gemälde), Nr.132, 157 f., 177, 179, 181 f. und vielleicht auch 133 (Radie-
rungen und Zeichnungen). - Gräflinger bringt in seinem Bruckner-Buch von
1927 auf Tafel 13 eine Graphik (siehe Nr.179), die er nicht näher bezeichnet, die aber sicher erst nach dieser Photographie von 1894 entstanden ist
und nicht, wie er schreibt, "etwa 1890".

Photograph: Josef Löwy, Wien
Darstellung: Brustbild, etwas nach links, im Oval; mit faksimilierter Unterschrift Bruckners, links unten bezeichnet "Heliogravure & Verlag v. J. Löwy, Wien.", rechts unten "Vervielfältigung vorbehalten 1894."
Gattung: Photographie, Heliogravure
Format: Heliogravure Oval 19,5 x 15,2 cm, Prägerand 25,6 x 19 cm
Besitzer: Photographie Gesellschaft der Musikfreunde, Archiv, Wien, Sign. 4.366/10; Heliogravure Historisches Museum der Stadt Wien I.N. 12.453; Österreichische Nationalbibliothek, Porträtsammlung und Bildarchiv, Wien, Sign. Pg 373/I; Wiener Männergesang-Verein, Archiv
Literatur: -
Reproduktionen: Die Musik 6(1906/07) H.1, nach S.64; Gräflinger 1927, Taf.39; Fischer Abb.190; Schöny F 19c
Anmerkungen: siehe Nr.69.

Künstler: Heinrich Schönchen, München
Darstellung: Brustbild, etwas nach links, im Kreis
Gattung: Gemälde
Material: Ölfarben auf Leinwand
Format: Medaillon 60 cm, Rahmen 91 x 69 cm
Vorlage: Photographie (siehe Nr.70 oder 71) und vielleicht nach der Natur (Empfehlungsbrief von Viktor Tilgner, Kopie im Anton Bruckner-Institut Linz)
Besitzer: Internationale Bruckner-Gesellschaft, Wien
Literatur: -
Reproduktionen: -
Anmerkungen: Das Gemälde entstand im Auftrag des ehemaligen schweizerischen Generalkonsuls Dr. Thyll für seine Frau Martha, geb. von Schmitt. Im November 1943 wurde es der Internationalen Bruckner-Gesellschaft geschenkt und hängt derzeit in den Räumen der Firma Doblinger, Wien 1, Dorotheergasse 10.

Künstler: unbekannt
Darstellung: Brustbild, etwas nach links
Gattung: Lithographie ?, Zeitungsdruck
Material: Papier
Format: unbekannt; Druck 8 x 6,5 cm
Vorlage: vielleicht Photographie (siehe Nr.63)

Besitzer: unbekannt
Literatur: -
Reproduktionen: Das Neue Illustrirte Blatt, Brünn 3(1894) Nr.44, S.707
Anmerkungen: Diese Graphik erschien mit einem Artikel zur Würdigung Bruckners anläßlich dessen 70.Geburtstag.

74, 75, 76   **1894**

Künstler: Adolf Luntz, Wien
Darstellung: Brustbilder; Nr.**74** Profil nach links, an der Schulter bezeichnet "Ad. Luntz X.1894"; Nr.**75** Profil nach links, an der Schulter bezeichnet "5.XI.1894 Ad. Luntz"; Nr.**76** von vorne, rechts unten bezeichnet "Ad. Luntz 12.XI.1894"
Gattung: Zeichnungen, Skizzen
Material: Bleistift auf Papier
Format: unbekannt
Vorlage: nach der Natur
Besitzer: Wiener Philharmoniker, Archiv (nicht auffindbar); Photographien Österreichische Nationalbibliothek, Musiksammlung, Wien, Sign. F 39 Gräflinger 668
Literatur: Katalog Musikausstellung 1925; Constantin Schneider, Katalog der Musikausstellung im Salzburger Dom, Sommer 1928; Orel 1953, S.66; Schöny S.66
Reproduktionen: -
Anmerkungen: Die Österreichische Nationalbibliothek besitzt leider nur die Photographien von drei Zeichnungen; die Literatur erwähnt fünf Bleistift-skizzen (Schöny S.66).

77   **1894**

Künstler: Percival M. Hedley, Wien
Darstellung: Büste, Kopf etwas nach links
Gattung: Kleinplastik
Material: Gips ?
Format: unbekannt, aber eher klein
Vorlage: unbekannt
Besitzer: unbekannt
Literatur: Musikalische Rundschau 9(1894) S.109; Jahrbuch des Akademi-schen Richard Wagner-Vereines 22(1894) S.14; Victor Joss, Eine Erinne-rung an Meister Bruckner, in: Österreichische Musik- und Theaterzeitung 8(1895/96) Nr.6/7, S.11
Reproduktionen: Musikalische Rundschau 9(1894) S.109; Göll.-A. 4/3, nach S.384
Anmerkungen: Bruckner besuchte die Musik- und Theater-Ausstellung 1892 in Wien, bei der der Künstler ihn selbst beobachten konnte; das Ergebnis

war die kleine Büste, "welcher der Meister selbst seine Anerkennung nicht versagte" (Victor Joss, siehe oben). - Die Büste war 1896 in Musikalienhandlungen erhältlich (vgl. Deutsche Zeitung 10.11.1896, S.7).

78, 79   **um 1895**

Künstler: Otto Böhler, Wien
Darstellung: Bruckner (ganze Figur, gehend, Profil nach links) mit Eduard Hanslick, Max Kalbeck und Richard Heuberger in Karikaturen nach dem Struwwelpeter; jeweils mit Text im Schriftband, Nr.78: "Es gieng spazieren auf dem Ring' ein Componist gar guter Ding'; doch da er lebt' in Österreich, begriff ihn die Kritik nicht gleich."; Nr.79: "Der Künstler wallt im Sonnenschein, die Tintenbuben hinterdrein."
Gattung: kolorierte Federzeichnung, Karikatur
Material: Tusche, Wasserfarben
Format: Blattgröße 42,4 x 60,2 cm
Vorlage: aus dem Gedächtnis?
Besitzer: Historisches Museum der Stadt Wien I.N. 77.595/7 (Nr.78), I.N. 77.595/9 (Nr.79)
Literatur: Göll.-A. 4/4, S.284
Reproduktionen: Auer 1932, S.216; Fischer Abb.178; Bruckner-Katalog Wien 1974, S.97; Schöny K 7a
Anmerkungen: Beide Darstellungen befinden sich in einem Album "Der Struwwelpeter oder lustige Geschichten und Bilder von Franz & Otto. WAWV [= Wiener Akademischer Richard Wagner-Verein] 1897."; in Kartonmappe, "gewidmet den Mitgliedern des R. Wagner Vereines." Nr.78 und 79 unterscheiden sich vor allem durch den Gesichtsausdruck Bruckners und die "Tintenbuben", die bei Nr.79 schwarz sind. Die Vornamen "Franz & Otto" stehen für Franz Schaumann und Otto Böhler. - Es gibt eine weitere Variante auf Postkarten (siehe Nr.101).

80   **um 1895**

Künstler: Hans Schließmann, Wien
Darstellung: ganze Figur, an einer Orgel sitzend, Profil nach links; rechts oben bezeichnet "Hans Schließmann"
Gattung: Tuschsilhouette
Material: Tusche auf Papier
Format: unbekannt; Druck 19 x 12 cm; Postkarte 13,8 x 9 cm
Vorlage: aus dem Gedächtnis?
Besitzer: unbekannt; Druck Historisches Museum der Stadt Wien; Gesellschaft der Musikfreunde, Archiv, Wien; Postkarte Österreichische Nationalbibliothek, Porträtsammlung und Bildarchiv, Wien, Sign. Pf 373 B (4); Anton Bruckner-Institut Linz

Literatur: -
Reproduktionen: Druck "Verlag von Robert Mohr in Wien, Druck von Carl Fromme in Wien"; Postkarte "Postkarten-Verlag Brüder Kohn, Wien I. - Serie 107/1"; Gräflinger 1927, Taf.48; Auer 1932, S.378; Auer 1982, S.325; Schöny K 6
Anmerkungen: Der Druck ist eine Verkleinerung in Umrandung auf Karton mit Bildunterschrift "Anton Bruckner. Schattenbild von Hans Schließmann". - Die Postkarte ist als Nachdruck im Postkarten-Verlag Brüder Kohn weiterhin erhältlich. - Diese Darstellung wird besonders vom Wiener Souvenirhandel häufig verwendet; man sieht sie auf Emailtellerchen und -bildern, den Kopf allein auf Emailfingerhüten und -glocken. - Außerdem gibt es eine seitenverkehrte Kopie von G. Langheiter, Wien.

81 (ohne Bild) vor 1896

Künstler: Hans Stadler, Wien
Darstellung: unbekannt
Gattung: Miniatur
Material: Malerei auf Elfenbein
Format: unbekannt
Vorlage: unbekannt
Besitzer: unbekannt
Literatur: Katalog der Kunstauktion bei Glückselig, Wien 14.11.1932, Nr.739; Schöny S.67
Reproduktionen: unbekannt
Anmerkungen: Diese wenigen Angaben wurden aus der Bruckner-Ikonographie von Heinz Schöny übernommen.

82 a,b 1896

Photograph: Fritz Ehrbar, Wien, oder Julius Gertinger, Wien
Darstellung: Brustbild, Halbprofil nach rechts
Gattung: Photographie
Format: Kabinettformat 16,5 x 9,5 cm
Besitzer: Österreichische Nationalbibliothek, Musiksammlung, Wien, Sign. F 28 Göllerich 429
Literatur: Göll.-A. 4/3, S.562
Reproduktionen: Göll.-A. 4/3, vor S.561
Anmerkungen: Die vorliegende Photographie, im Photoatelier J. Gertinger in Wien hergestellt, hat auf der Vorderseite den Prägestempel "Oscar Kramer Wien", auf der Rückseite steht der Vermerk "Letzte Aufnahme (siehe Brief v. Ignaz in d. Biographie)". Ob die Aufnahme, wie bei Göll.-A. 4/3 berichtet wird, von Ehrbar stammt, verlorengegangen ist und sich nur in einem Abzug des Photographen Gertinger erhalten hat, ist ungewiß. Der Bericht

des Arztes Dr. Richard Heller bei Göll.-A. lautet: "Es gab aus der letzten Zeit Bruckners kein Bild und den Vorschlag, sich photographieren zu lassen, konnte man ihm nicht machen, da er sofort dahinter die nahende Todesgefahr vermutete. So beschlossen wir denn, Bruckner ohne sein Wissen zu photographieren und Schrötter bat Herrn Fritz Ehrbar, diesen schwierigen Versuch zu machen. Als ich mit Schrötter zu Bruckner kam, saß er bereits (am 8.Tag seiner Erkrankung!) in seinem Lehnsessel am Fenster. Ehrbar stellte seinen Apparat hinter der Tür auf, um dann dieselbe nur öffnen zu brauchen und Bruckner abnehmen zu können. Dies gelang, kaum aber war es geschehen, ohne daß er es bemerkt, stand er plötzlich auf und verlangte, da der Tag sehr schön war, spazieren zu gehen. Wir konnten nur rasch den Apparat verbergen, worauf er Schrötter bis zum Wagen begleitete, wobei es Ehrbar gelang, eine Momentaufnahme zu machen" (siehe Nr.83 a und b). - Möglicherweise ist es aber auch ein retuschierter (Kleidung!) Ausschnitt aus dem Gruppenbild (siehe Nr.83 a).

83 a   1896

Photograph: Fritz Ehrbar, Wien
Darstellung: Gruppenbild vor Bruckners letztem Wohnhaus im Belvedere (m i t Dr. Heller), Bruckner in der Mitte, ganze Figur, stehend, etwas nach rechts
Gattung: Photographie
Format: Kabinettformat
Besitzer: Original verschollen; Kopie Gesellschaft der Musikfreunde, Archiv, Wien, Sign. 834/20; Historisches Museum der Stadt Wien I.N. 77.345
Literatur: Göll.-A. 4/3, S.562 f.
Reproduktionen: Österreichische Musik- und Theaterzeitung 9(1896/97) Nr.5, S.5; Auer 1932, nach S.464; Abendroth S.117; Schöny F 20a
Anmerkungen: Abgebildet sind (von links nach rechts) Dr. Richard Heller, Katharina Kachelmaier, Anton Bruckner, Ignaz Bruckner, Prof. Dr. Leopold Schrötter Ritter von Kristelli (von hinten) und hinter diesem eine Frauengestalt, vermutlich Ludowika Kutschera, die Tochter Katharina Kachelmaiers. Die Aufnahme wurde im Sommer 1896, vielleicht am 17.Juli, gemacht. Prof. Schrötter berichtet bei Göll.-A.: "Bruckner ließ sich trotz alles Zuredens nie nehmen, mich, wie er eben war, zur Tür bis in den Hof hinaus zu begleiten. Da sieht man ihn denn, da sich Ehrbar mit dem kleineren Apparat zu meinem Wagen geflüchtet hatte, in Hemdärmeln, nur dürftig bekleidet, von seiner Wärterin und seinem Bruder begleitet, wie er sich von mir verabschiedet. Auffallend tritt auf diesem Bild die Ähnlichkeit Bruckners mit seinem Bruder hervor."

83 b   1896

Photograph: Fritz Ehrbar, Wien; Kopie von Carl Pflanz, Linz
Darstellung: Gruppenbild wie Nr.83 a, aber o h n e Dr. Heller

Vorlage: nach der Natur
Besitzer: Erstabguß Historisches Museum der Stadt Wien I.N. 24.831; spätere Abgüsse ebenda I.N. 95.363; Oberösterreichisches Landesmuseum, Linz; Gesellschaft der Musikfreunde, Archiv, Wien; Anton Bruckner-Institut Linz
Literatur: Todtenmaske Anton Bruckners. Abgenommen von den Bildhauern Haberl und Zinsler, in: Neue Musikalische Rundschau 1(1896/97) S.117; Göll.-A. 4/3, S.576
Reproduktionen: ebenda; Auer 1923, nach S.332; Gräflinger 1927, Taf.23; Abendroth S.118; Nowak Abb.286; Wagner S.229; Hansen S.300; Schöny P 2
Anmerkungen: Der Abdruck erfolgte am Dienstag, dem 13.10. 1896. - Zinsler, ein Schüler und Mitarbeiter Viktor Tilgners, machte auch einen Abdruck von Bruckners rechter Hand. - Die Totenmaske diente als Vorlage für Zeichnungen, siehe Nr.120 f. und 172, sowie vielleicht eine Büste, siehe Nr.161.

88   ca. 1896

Künstler: ?, vielleicht Franz Antoine, Wien
Darstellung: Brustbild, Profil nach links
Gattung: Gemälde
Material: Ölfarben auf Leinwand
Format: 54 x 42,5 cm
Vorlage: vielleicht Photographie (siehe Nr.36)
Besitzer: Gesellschaft der Musikfreunde, Direktion, Wien
Literatur: -
Reproduktionen: Schöny G 14
Anmerkungen: Das Gemälde wurde auf das angegebene Format verkleinert, um es dem Bildformat der Komponisten-Galerie in der Gesellschaft der Musikfreunde anzugleichen. Möglicherweise ist dabei die Signierung des Künstlers verlorengegangen. - Das Bild hat große Ähnlichkeit mit dem im Anton Bruckner-Institut Linz befindlichen Gemälde und auch fast das gleiche Format (siehe Nr.168). - In der Porträtsammlung der Österreichischen Nationalbibliothek gibt es eine Nachzeichnung von Robert Fuchs (Bleistift; siehe Bruckner-Ikonographie Teil 2) mit der Signatur Pg 373,1 ohne genauere Datierung.

89   1896

Künstler: Rudolf Fenz, Wien
Darstellung: Brustbild, Profil nach links, mit faksimilierten Unterschriften und Notenzeilen (5.Symphonie) Bruckners; rechts am Ärmel bezeichnet "R. Fenz. 1896." (Namenszug am Ende mit Schlingen versehen, so daß auch "Fenzl" gelesen wurde), links unten "Herausg. Ed. Ulmayer, Wien XVIII Theresiengasse 8.", rechts unten "Druck v. L. Schilling, Wien."

Gattung: Lithographie
Material: Papier, Chinapapier
Format: gesamt 42,5 x 33 cm; auf Chinapapier 32,9 x 23,1 cm; Bildausschnitt ohne Noten 35,5 x 23,3 cm; Postkarte 14 x 9,1 cm
Vorlage: Photographie (siehe Nr.36)
Besitzer: Österreichische Nationalbibliothek, Porträtsammlung und Bildarchiv, Wien, Sign. Pg 373/I (2); Historisches Museum der Stadt Wien I.N. 75.011; auf Chinapapier ebenda I.N. 77.556; Familie Hueber, Vöcklabruck; Wiener Männergesang-Verein, Archiv (ohne Notenzeilen)
Literatur: Deutsches Volksblatt 13.11.1896, S.7
Reproduktionen: Postkarte "Tiroler Kunstverlag Chizzali, Innsbruck, Sillgasse 21, Nr.2609"; Auer 1923, S.V; Haas S.24; Schöny G 15
Anmerkungen: Die Notiz im Deutschen Volksblatt lautet: "In Ed. Ulmayer's Kunstverlag, Wien XVIII., Theresiengasse Nr.8 ist ein wohlgetroffenes Bildnis Anton Bruckner's im Druck erschienen, auf welches die Verehrer des großen Meisters hiermit aufmerksam gemacht seien. Der Preis dieses von Fenz künstlerisch durchgeführten Porträts beträgt 2 fl. 80 kr." - Die Reproduktionen bei Auer und Haas scheinen sich von der Originallithographie dadurch zu unterscheiden, daß die Darstellung gestreckter, Bruckners Kopf schmäler aussieht. Auch die Signierung rechts am Ärmel erscheint verschwommen und blaß; wahrscheinlich eine absichtliche Retusche. Vielleicht ist diese Retusche die Grundlage für das bei Schöny unter F 15 angegebene, aber nicht abgebildete Altersphoto Bruckners von Anton Paul Huber, das allerdings sonst nirgends vorkommt.

90   **1896**

Künstler: unbekannt
Darstellung: Brustbild, Profil nach links
Gattung: Holzstich, Zeitungsdruck
Material: Papier
Format: unbekannt; Druck 20,5 x 22 cm
Vorlage: Photographie (siehe Nr.36)
Besitzer: unbekannt
Literatur: -
Reproduktionen: Illustrirtes Wiener Extrablatt 13.10.1896
Anmerkungen: Diese Darstellung erschien zusammen mit einem Nachruf auf Bruckner.

91   **1896**

Künstler: unbekannt
Darstellung: Brustbild, Halbprofil nach links
Gattung: Lithographie, Zeitungsdruck

Material: Papier
Format: unbekannt; Druck 14 x 10 cm
Vorlage: Photographie (siehe Nr.64)
Besitzer: unbekannt
Literatur: -
Reproduktionen: Das Neue Illustrirte Blatt, Brünn 5(1896) Nr.42, S.663
Anmerkungen: Dieses Bild "Nach einer Aufnahme v. A. Huber in Wien" erschien mit einem Gedenk-Artikel zu Bruckners Tod.

92   **1896**

Künstler: unbekannt
Darstellung: Brustbild, Profil nach links
Gattung: Stahlstich, Zeitungsdruck
Material: Papier
Format: unbekannt; Druck 21 x 16 cm
Vorlage: Photographie (siehe Nr.36)
Besitzer: unbekannt
Literatur: Steffen Lieberwirth, Anton Bruckner und Leipzig. Graz 1988, S.83
Reproduktionen: Illustrirte Zeitung, Leipzig 24.10.1896, S.495; Die reden-den Künste 3(1896/97) H.6 vom 31.10.1896, S.136; Neue Zeitschrift für Musik 84(1917) S.3; Gewandhaus zu Leipzig. Konzertjahr 1986/87, zum Konzert Ser.III, 2.Konzert 23./24.10.1986; Lieberwirth (siehe oben) S.87
Anmerkungen: Der Stich wurde wahrscheinlich für den gleichzeitig in der Leipziger Illustrirten Zeitung erschienenen Nachruf auf Bruckner angefertigt.

93   **1896**

Künstler: unbekannt
Darstellung: Brustbild, Dreiviertelprofil nach rechts
Gattung: Holzstich, Zeitungsdruck
Material: Papier
Format: unbekannt; Druck 16 x 15 cm
Vorlage: Photographie (siehe Nr.18)
Besitzer: unbekannt
Literatur: -
Reproduktionen: Grazer Extrablatt 20.10.1896
Anmerkungen: -

94 a,b   **1896**

Künstler: Otto Böhler, Wien
Darstellung: Bruckner (erster von links; ganze Figur, stehend, Profil nach rechts), von elf Komponisten und zahlreichen musizierenden Engeln im Himmel begrüßt

Gattung: geschnittene Silhouette
Material: Papier
Format: unbekannt; **a)** Photographie, auf Karton aufkaschiert, Bildgröße 15,9 x 20 cm, Blattgröße 18,2 x 25 cm; **b)** Postkarte 9 x 14 cm, Bildgröße 7 x 9 cm
Vorlage: aus dem Gedächtnis?
Besitzer: Original verschollen; **a)** Österreichische Nationalbibliothek, Porträtsammlung und Bildarchiv, Wien, Sign. Pf 373 E (5); Oberösterreichisches Landesmuseum, Bibliothek, Linz; Gesellschaft der Musikfreunde, Archiv, Wien; **b)** Anton Bruckner-Institut Linz
Literatur: -
Reproduktionen: Postkarte "Verlag von Josef Roller & Comp. in Wien."; Die Musik 6(1906/07) H.1; Gräflinger 1927, Taf.50; Fischer Abb.174; Wagner S.222; Schöny G 17m
Anmerkungen: Serie A Nr.6; Serie B Nr.9. - Die Postkarte hat die Bildunterschrift "Anton Bruckner's Ankunft im musikalischen Himmel.". - Abgebildet sind (von links) Franz Liszt, Richard Wagner, Franz Schubert, Robert Schumann, Carl Maria v. Weber, Wolfgang Amadeus Mozart, Ludwig van Beethoven, Christoph Willibald Gluck, Joseph Haydn, Georg Friedrich Händel und (an der Orgel) Johann Sebastian Bach.

95 (ohne Bild)   **1896**

Künstler: Franz Xaver Pawlik, Wien
Darstellung: Brustbild, Profil nach links; am linken Rand bezeichnet "F X P" (vertieft); Vorderseite beschriftet "DR. ANTON - BRUCKNER", auf der Rückseite Lyra, darüber Stern in Strahlen, ferner Lorbeer und Palmzweig mit Bandschleife, darunter ein aufrecht stehender Lorbeerzweig, rechts daneben "GEB. AM/4.SEPTEMBER/1824/ZV ANSFELDEN OB:ÖSTERR.", links daneben "GEST. AM/11.OCTOBER/1896/IN WIEN"
Gattung: Medaille (Entwurf)
Material: unbekannt
Format: 5 cm
Vorlage: unbekannt
Besitzer: -
Literatur: Niggl Nr.431
Reproduktionen: -
Anmerkungen: Beschreibung nach Niggl. Die Medaille blieb nur Entwurf.

96   **1896**

Künstler: Franz Xaver Pawlik, Wien
Darstellung: Brustbild, Profil nach links; links unten bezeichnet "F.X. PAWLIK FEC."; links neben dem Porträt "Dr. ANTON", rechts "BRUCKNER"

Gattung: Medaille, einseitig
Material: Bronze, Silber
Format: 5 cm
Vorlage: Photographie (siehe Nr.36)
Besitzer: Anton Bruckner-Institut Linz
Literatur: Niggl Nr.432
Reproduktionen: -
Anmerkungen: Die Medaille ist im Österreichischen Hauptmünzamt, Wien, noch erhältlich.

Zu 1896/97

In der Literatur gibt es immer wieder Hinweise auf ein Fenster in der Stadtpfarrkirche von Steyr, auf dem Bruckner abgebildet sein soll. In der Ostdeutschen Rundschau vom 9.12.1896 erschien im Tagesbericht folgender Text:
"Ein Denkmal für Anton Bruckner
Geleitet von dem Bestreben, das Andenken an den großen deutschen Tondichter Dr. Anton Bruckner und an seinen Aufenthalt in der Stadt S t e y r dauernd und würdig zu ehren, erläßt ein aus Bürgern dieser Stadt gebildeter Ausschuß einen Aufruf zur Errichtung eines Bruckner-Denkmales. Die Anreger dieses Denkmales glauben ihre Absicht am besten zu erreichen durch Schaffung eines V o t i v f e n s t e r s in der dortigen Stadtpfarrkirche in der Nähe des Chores, woselbst der Verewigte durch sein meisterhaftes Spiel so oft die Andächtigen erhob. Sollte die zur Herstellung eines solchen Votivfensters nöthige Summe, welche sich auf zirka 6000 fl. stellen dürfte, nicht aufgebracht werden können, so würde eine andere Form des Denkmals gewählt werden. Zur Durchführung dieser Idee werden alle Verehrer des verblichenen Meisters, insbesondere die musikalischen Vereine gebeten, sich mit einem entsprechenden Beitrage gütigst betheiligen zu wollen. Spenden nimmt Herr Franz Bayr, Regens chori und Chormeister des Männergesangvereines 'Kränzchen', entgegen."
Im Jahresbericht des Bundesgymnasiums Steyr 1967/68 schreibt Manfred Brandl in seinem Beitrag Regotisierung der Steyrer Pfarrkirche auf S.21 über die weitere Geschichte dieses Planes:
"Der bedeutende Komponist Anton Bruckner war der Eisenstadt auf manche Weise eng verbunden. Es bildete sich auch bald ein Komitee, das sich die Schaffung eines Brucknerdenkmals zum Ziel setzte. Anfangs dachte man an die Schaffung eines Brucknerfensters im mittleren Langhausfenster an der Südwand. Schon 1897 galt die Schaffung des Fensters als gesichert. Als jedoch 5.000 fl beisammen waren, besann sich das Komitee unter dem Widerspruch des Stadtpfarrers Strobl und stiftete das Denkmal außerhalb der Stadtpfarrkirche am heutigen Brucknerplatz. Der Fensterfond für das Brucknerfenster ging so für die Kirchenverglasung verloren. Deshalb begann man etwa 1897 einen neuen Fensterfond zu schaffen, der bei der

Hauptversammlung 1901 6.002 K betrug. Dieser Fensterfond scheint zwar nicht als Fond für das als nächstes beschriebene Fenster auf, ist aber mit diesem identisch, da weitere Fenster aus dem Kirchenvermögen bezahlt wurden, wie wir noch sehen werden.

An der Stelle des einst geplanten Brucknerfensters gelangte so 1903 das in kirchlicher Hinsicht neutralste Fenster zur Einsetzung, nämlich das durch freiwillige Beiträge der Frauen und Jungfrauen Steyrs bezahlte. Die Geldsammlung hiefür hatte sechs Jahre gedauert."

97   **1896/97**

Künstler: Josef Tautenhayn jun., Wien
Darstellung: Brustbild, Profil nach links; rechts unter dem Abschnitt bezeichnet "JOS.TAUTENHAYN JUN."; links oben "AETAT: LXXII", links von oben nach unten "GEST. XI. OCT. MDCCCIVC", rechts von oben nach unten "GEB. IV. SEPT. MDCCCXXIV", unterhalb des Bildes in Umrahmung "ANTON BRUCKNER"
Gattung: Plakette, rechteckig
Material: Metall, Bronze, Silber
Format: 6,7 x 4,6 cm; größere Fassung 19,4 x 13,2 cm; Postkarte 14 x 9 cm
Vorlage: Photographie (siehe Nr.36)
Besitzer: Plakette und Papierrelief (Postkarte) Anton Bruckner-Institut Linz; Papierrelief Österreichische Nationalbibliothek, Porträtsammlung und Bildarchiv, Wien, Sign. Pf 373 B (6); größere Fassung Kunsthistorisches Museum, Münzsammlung, Wien
Literatur: Göll.-A. 4/4, S.21 f.; Niggl Nr.438
Reproduktionen: Postkarte
Anmerkungen: Die Plakette wurde laut Göll.-A. auf Veranlassung der Wiener Leo-Gesellschaft herausgegeben und ist im Österreichischen Hauptmünzamt, Wien, noch erhältlich. - Auf der größeren Fassung ist unterhalb des Sterbejahres das Monogramm des Medailleurs (vertieft) zu sehen. - Das Papierrelief hat unter dem Prägerand den gedruckten Vermerk "Jos. Tautenhayn jun. fec.".

98   **um 1896/97**

Künstler: Hugo Kaun, Wien - Milwaukee
Darstellung: Brustbild, Profil nach links
Gattung: Lithographie
Material: Papier
Format: gesamt 53 x 39,6 cm; Bildrand 38,4 x 29,8 cm
Vorlage: Photographie (siehe Nr.36) oder Graphik (siehe Nr.90)
Besitzer: Historisches Museum der Stadt Wien I.N. 77.557
Literatur: -

Reproduktionen: -

Anmerkungen: Widmung auf der Rückseite des Blattes: "Dem k.u.k. Wagnerverein gewidmet von Hugo Kaun Milwaukee Wis. Vereinigte Staaten."

99 um 1896/97

Künstler: Alfred Cossmann, Wien
Darstellung: Kopf, Profil nach links; rechts unten bezeichnet "Anton Bruckner / A.Cossmann"
Gattung: Zeichnung
Material: Bleistift oder Kohle auf Papier
Format: 28 x 19,4 cm
Vorlage: Büste (siehe Nr.55)
Besitzer: unbekannt
Literatur: Cossmann S.134; Zamazal S.27
Reproduktionen: Cossmann Taf.51; Zamazal S.27
Anmerkungen: Die Zeichnung entstand laut Anmerkung bei Cossmann (siehe oben) bald nach Tilgners Tod in dessen Atelier im Schwarzenbergpark in Wien. - Der Künstler hatte 1895 Harmonielehre-Vorlesungen Bruckners besucht. Er erzählt in seinen im oben zitierten Buch abgedruckten Erinnerungen (S.53 f.):

Nach Überprüfung meines innersten Wesens war für mein Tun und Handeln ein rastloser Trieb maßgebend, der nach Erkenntnis jenes Gesetzes strebte, das den konstruktiven Bau eines Blattes, eines Domes, einer musikalischen Schöpfung, kurz; eines Kunstwerkes überhaupt ermöglicht, das in seiner Gesamtheit die einander widerstrebenden Teile zu einer Harmonie von seltenem Wohllaut fügt. Eines Gesetzes mithin, das in seiner Auswirkung erst durch die Bildung einer konstruktio möglichen Realität die Schönheit erweckt. Und zwar nicht nur als Begriff, sondern als sinnlich empfundene Wohltat. Der Trieb nach Erkenntnis dieses Gesetzes besteht, obwohl der Mensch es nur ahnen, aber nie ergründen kann, weil es göttlich ist. Trotz der Überzeugung von seiner Unzulänglichkeit bohrt in ihm dieser Forschungstrieb unablässig das ganze Leben hindurch, ob er sich in dem Studium eines Grashalms oder dem des Alls äußert. In keiner Kunst wirkt die göttliche Kraft dieses Gesetzes so stark auf mein Gemüt wie in der Musik, obgleich ich als Laie nicht sagen kann, wodurch diese Wirkung erzielt wird, und ob das Gehörte den Gesetzen dieser Kunst entspricht. Es war mir rätselhaft, wieso in einer Kunst, die mir viel weniger vertraut war als die bildende, die Einwirkung auf mich bedeutender war. In meiner Naivität glaubte ich, durch die Vorlesungen über Harmonielehre von Anton Bruckner an der Universität, die ich 1895 besuchte, darüber belehrt zu werden. Seine Hörerschaft bestand hauptsächlich aus Damen und Herren des Konservatoriums. Wenn er den Hörsaal betrat, setzte sofort starker Beifall ein. Auf dem Podium, wo ein Klavier stand, angekommen, rief Bruckner: »Is schon guat!« und winkte mit den Händen ab. Meistens begann er seinen Vortrag damit, daß er mit Kreide die Noten eines Tonsatzes auf die große Schultafel schrieb, dann an der Hand dieses Beispiels die Vereinigung verschiedener Töne zu einem etwas einheitlichen darstellenden Zusammenklang besprach, um schließlich auf die gesamten Zusammenklänge eines mehrstimmigen Tonsatzes überzugehen. Das, was er zuerst theoretisch entwickelte, bot er dann auf dem Klavier dem Ohr. Wenn sein Spiel verklang, reckte er den Kopf auf dem hageren Hals seitlich in die Höhe, wie wenn er noch den letzten Hall erlauschen wollte, stellte den Zeigefinger der linken Hand, an dem ein dicker Ring saß, empor und sagte: »Hör'n S' den schön' Ton?«

Mir ist nicht bekannt, ob der Bildhauer Tilgner, der im gleichen Jahre 1896, sechs Monate vor Bruckner, starb, die Vorträge des Tondichters besucht hat. Jedenfalls ist die Auffassung Bruckners meisterhaft, die Tilgner zum Ausdruck brachte durch Festhalten jener beschriebenen, vielleicht nur einmal gesehenen Stellung des visionär in eine andere Welt entrückten Künstlers, der, bescheiden im Leben, sich seines Könnens wohl bewußt war.

178

Künstler: Alfred Cossmann, Wien
Darstellung: Brustbild, Profil nach links; rechts unten bezeichnet "A [in] C"
Gattung: Zeichnung
Material: Silberstift, Bleistift auf Papier
Format: unbekannt; Reproduktion 21 x 17 cm
Vorlage: Büste (siehe Nr.55)
Besitzer: unbekannt
Literatur: Cossmann S.134
Reproduktionen: Unser Oberdonau S.121
Anmerkungen: Die Zeichnung ist leider nicht datiert, könnte aber gleichzeitig mit Nr.99 (siehe die Anmerkungen dort) entstanden sein. Die hier verwendete Signierung "A [in] C" tritt sonst allerdings erst später auf.

101 a-d   **1897**

Künstler: Otto Böhler, Wien
Darstellung: Bruckner (ganze Figur, gehend, Profil nach links) mit Eduard Hanslick, Max Kalbeck und Richard Heuberger in einer Karikatur nach dem Struwwelpeter
Gattung: Federzeichnung, Karikatur, Postkartendruck
Material: Tusche auf Papier
Format: Postkarte 14 x 9,1 cm; Abbildung (auf der Schmalseite) 6 x 8,8 cm
Vorlage: Federzeichnung (siehe Nr.78 und 79)
Besitzer: a) Historisches Museum der Stadt Wien I.N. 44.118 (aus dem Nachlaß Hugo Wolf); b,c) Österreichische Nationalbibliothek, Musiksammlung, Wien, Sign. F 28 Göllerich 395; b) Gesellschaft der Musikfreunde, Archiv, Wien
Literatur: Göll.-A. 4/4, S.284
Reproduktionen: u.a. Auer 1982, S.183 (etwas vergröbert, siehe Abb.d); Schöny K 7c
Anmerkungen: Das Exemplar **a** trägt die Bildunterschrift "Aus dem neuen Struwelpeter. 30.XII.1897. - Die beiden Postkarten in der Musiksammlung der Österreichischen Nationalbibliothek - beide von Franz Schaumann an August Göllerich, 5.8.1898 bzw. 8.1.1906 - zeigen die Varianten "Aus F. Schaumann's Struwelpeter" (**b**) bzw. "Dr. Böhler's Silhouetten. Aus Schaumann's 'Struwelpeter'" (**c**). Erstere erschien im Verlag des Wiener Akademischen Richard Wagner-Vereines, Wien, die andere bei "Josef Roller & Comp. in Wien". - Das Exemplar im Archiv der Gesellschaft der Musikfreunde (**b**) entspricht der ersten der eben beschriebenen Varianten in der Nationalbibliothek und ist handschriftlich signiert "1.10.98 Alexander Rosé". - Diese Postkarten stellen eine dritte Variante zu den um 1895 gezeichneten Originalen (siehe Nr.78 und 79) dar: ein dunkel gekleideter Bruckner mit lächelndem Gesicht und die schwarzen Tintenbuben. - Weitere Varianten die-

ser Thematik tauchen verschiedentlich in der Bruckner-Literatur immer wieder auf, wobei es zweifelhaft ist, ob diese Darstellungen von Böhler oder Verfremdungen für einfachere Druckvorlagen sind.

102 a,b   1897

Künstler: Otto Böhler, Wien
Darstellung: Bruckner (erster von links; ganze Figur, stehend, Profil nach rechts) und zehn weitere Komponisten sowie zahlreiche musizierende Engel gratulieren Franz Schubert im Himmel zum 100.Geburtstag; links unten bezeichnet "B [in] O 97"
Gattung: geschnittene Silhouette
Material: Papier in zwei Schichten
Format: a) 62 x 77 cm; **b)** Photographie, auf Karton aufkaschiert, Bildgröße 15,8 x 20,2 cm, Blattgröße 20 x 27 cm
Vorlage: aus dem Gedächtnis
Besitzer: a) Wiener Schubertbund; **b)** Photographie Oberösterreichisches Landesmuseum, Bibliothek, Linz; Historisches Museum der Stadt Wien I.N. 13.938
Literatur: -
Reproduktionen: Otto Erich Deutsch, Franz Schubert. Die Dokumente seines Lebens und Schaffens 3: Sein Leben in Bildern. München-Leipzig 1913, S.30; Ernst Hilmar, Schubert. Graz 1989, Abb.349; Schöny G 17g
Anmerkungen: Serie B Nr.20. - Die Reihe der Komponisten von links nach rechts: Anton Bruckner, Robert Schumann, Franz Liszt, Carl Maria v. Weber, Richard Wagner, Johann Sebastian Bach, Georg Friedrich Händel, Joseph Haydn, Christoph Willibald Gluck, Ludwig van Beethoven, Wolfgang Amadeus Mozart und Franz Schubert. - Photographie mit Titel "Zur Erinnerung an das hundertjährige Geburtsfest Franz Schubert's dem Wiener Schubertbund gewidmet von Dr. Otto Böhler. Wien IV, Margarethenstrasse 28. Selbstverlag des Schubertbundes. J. Gertinger." - Zwischen Original und Photographie bestehen geringfügige Unterschiede (Retuschen bei Sternen, Wolken, Pauke etc.).

103   1897

Künstler: Otto Böhler, Wien
Darstellung: Bruckner (untere Reihe dritter von links; ganze Figur, gehend, Profil nach links), zusammen mit vierzehn weiteren Musikern und zahlreichen Engeln Johannes Brahms im Himmel begrüßend
Gattung: geschnittene Silhouette
Material: Papier in drei Schichten
Format: unbekannt; Photographie, auf Karton aufkaschiert, Bildgröße 21,5 x 17,2 cm, Blattgröße 24,8 x 18,2 cm

Vorlage: aus dem Gedächtnis
Besitzer: unbekannt; Photographie Oberösterreichisches Landesmuseum, Bibliothek, Linz
Literatur: -
Reproduktionen: Donauland 1918, H.5, S.69
Anmerkungen: Serie B Nr.19. - Die Reihe der Musiker im Halbkreis von links unten nach links oben: Johannes Brahms, Robert Schumann, Anton Bruckner, Felix Mendelssohn Bartholdy, Franz Schubert, Franz Liszt, Hans v. Bülow, Hector Berlioz, Georg Friedrich Händel, Christoph Willibald Gluck, Wolfgang Amadeus Mozart, Ludwig van Beethoven, Johann Sebastian Bach (an der Orgel), Richard Wagner, Carl Maria v. Weber und Joseph Haydn (an der Pauke).

104   **1898**

Künstler: Viktor Tilgner und Fritz Zerritsch, Wien
Darstellung: Büste (von Viktor Tilgner, siehe Nr.55) auf einem Steinsockel, auf der unteren Stufe des Sockels zwei Putten mit Lyra, Orgel, Maske und Lorbeerkranz (von Fritz Zerritsch)
Gattung: Denkmal
Material: Bronze (Büste und Sockelschmuck) und Stein
Format: Gesamthöhe ca. 300 cm, Sockelbasis 175 cm
Vorlage: siehe Nr.55
Besitzer: Stadt Steyr
Literatur: Tagespost, Linz 1.6.1898, S.3; Illustrirte Zeitung 23.6.1898, S.799; Franz Babsch, Festrede. Zum Bruckner-Denkmal, in: Der Alpenbote 44(1898) Nr.44, S.3 ff.; Carl Almeroth, Das Bruckner-Denkmal in Steyr, in: ebenda Nr.45, S.3; Das Bruckner-Denkmal in Steyr, in: Neue musikalische Presse 7(1898) Nr.24, S.1 f.; Wiener Bilder 3(1898) Nr.28, S.5 f.; Enthüllung des Bruckner-Denkmals, in: Deutsche Kunst- und Musik-Zeitung 25(1898) Nr.13, S.151 f.; Jula Bayer, Anton Bruckner in Steyr. Steyr 1956, S.64
Reproduktionen: in einigen der oben genannten Berichte; Das Bruckner-Monument in Steyr, in: Illustrirtes Wiener Extrablatt, Abendausgabe 18.6.1898 (nur Abb.); Gräflinger 1927, Taf.29; Göll.-A. 4/4, nach S.40; Schö-ny P 1a
Anmerkungen: Das Denkmal wurde "errichtet 1898, erneuert 1936 von Bruckner-Verehrern der Stadt Steyr". Die Enthüllung fand am Pfingstsonn-tag (29.5.) 1898 anläßlich des 9. Oberösterreichisch-Salzburgischen Sänger-bundfestes statt (die Enthüllung nach der Wiederherstellung des 1918 durch Diebstahl des Sockelschmucks beschädigten Denkmales am 13.10.1935).

105 a,b   **1898**

Künstler: Fritz Zerritsch, Wien
Darstellung: Büste (von Viktor Tilgner, siehe Nr.55, verkleinert); "Nach dem Leben mod. / von Prof. V. Tilgner / von F. Zerritsch / Wien"

Gattung: Vollplastik
Material: Bronze
Format: 28 x 20 x 18 cm
Vorlage: Büste (siehe Nr.55)
Besitzer: Liedertafel Grein (verschollen); Anton Bruckner-Institut Linz; Oberösterreichisches Landesmuseum, Linz (derzeit in Bruckners Geburtshaus in Ansfelden); Stadtmuseum Linz Nordico
Literatur: Tagespost, Linz 27.und 30.7.1898
Reproduktionen: -
Anmerkungen: Die Linzer Tagespost (siehe oben) berichtete von der Aufstellung einer Bruckner-Büste am 27.7.1898 in Grein, die dem "Greiner Liederkranze" anläßlich eines Besuches der Steyrer Liedertafel als Geschenk überreicht wurde.

106 a-g   **1899**

Künstler: Viktor Tilgner und Fritz Zerritsch, Wien
Darstellung: Büste (von Viktor Tilgner, siehe Nr.55) auf einem Steinsockel mit knieender Muse, die Bruckner einen Lorbeerzweig entgegenstreckt, Lyra und am Sockel emporrankenden Dornenstrauch (von Fritz Zerritsch); **a)** im Atelier von Zerritsch; **b-g)** Postkartenaufnahmen aus dem Wiener Stadtpark
Gattung: Denkmal
Material: Bronze (Büste) und Stein
Format: Büste 85 x 70 x 55 cm; Sockel 149 x 56 x 47 cm, Sockelbasis 90 x 100 x 126 cm und 30 x 166 x 166 cm; Muse 220 x 105 x 75 cm
Vorlage: siehe Nr.55
Besitzer: Stadt Wien
Literatur: Ein Bruckner-Denkmal, in: Deutsche Volkszeitung 16.3.1899, Beil.75; Das Bruckner-Denkmal und sein Schöpfer. (Zur heutigen Enthüllungsfeier im Stadtpark), in: Illustrirtes Wiener Extrablatt 25.10.1899; Zur Enthüllung des Bruckner-Denkmals, in: Deutsche Zeitung 25.10.1899; Die Enthüllung des Bruckner-Denkmales, in: Wiener Abendpost 25.10.1899; Neues Wiener Journal 26.10.1899; H., Das Brucknerdenkmal, in: Fremdenblatt 26.10.1899; L., Das Bruckner-Denkmal, in: Deutsche Zeitung 26.10.1899; Enthüllung des Dr. Anton Bruckner-Denkmales, in: Neuigkeitsweltblatt 26.10.1899, S.31; Carl Almeroth, Von zwei Wiener Meistern: Zur Enthüllung des Bruckner-Denkmals, in: Wiener Bilder 4(1899) Nr.44, S.6 ff.; Das Anton Bruckner-Denkmal im Stadtparke zu Wien, in: Das Neue Illustrirte Blatt, Brünn 8(1899) Nr.44, S.698, Abb.S.693; Das Atelier des Bildhauers Zeritsch [!] mit dem neuen Denkmal für den Componisten Anton Bruckner, in: Das interessante Blatt 18(1899) Nr.18, S.3 ff. (daraus Abb.a); Armin Friedmann, Das Bruckner-Denkmal im Wiener Stadtpark, in: Neue Musik-Zeitung 20(1899) S.279; Max Vancsa, Enthüllung des Bruckner-Denkmals in Wien, in: Der Kyffhäuser 1899, S.252 f.; Dr.M.W., Das

Bruckner-Denkmal im Wiener Stadtpark, in: Über Land und Meer 83(1900) Nr.6; Bruckner-Denkmal in Wien, in: Wiener Bauindustrie-Zeitung 18(1901) Nr.46, S.376, Taf.91; Göll.-A. 4/4, S.29-33

Reproduktionen: in einigen der oben genannten Berichte, z.B. Illustrirtes Wiener Extrablatt 25.10.1899, S.5 (Federzeichnung eines unbekannten Künstlers, Größe des Druckes: 25 x 7,5 cm):

Das Bruckner-Denkmal und sein Schöpfer.
(Zur heutigen Enthüllungsfeier im Stadtpark.)

Fritz Zerritsch.

Der Stadt Wien wird heute eine neue monumentale Zierde werden. Im Stadtpark wird das Bruckner-Denkmal enthüllt, das Fritz Zerritsch geschaffen hat. Wir werden über den festlichen Act berichten. Die Gemeinde Wien hat dem genialen Tondichter ein Monument errichtet. Es dürfte interessiren, zu erfahren, wie das reizende Werk zu Stande gekommen ist. Im Nachlasse Tilgner's befand sich eine prächtige Bruckner-Portraitbüste, eine entzückende Schöpfung des frühverblichenen Künstlers. Zu dieser Büste wurde von Zerritsch eine allegorische Figur gemacht, Tilgner's Hervorbringung wurde von seinem congenialen Schüler zu einem Monumente vervollständigt. So entstand eine geradezu poetische Blattl, die zweifellos den lebhaften Beifall des Publicums finden wird. Mit keuscher Anmuth ist die jugendliche Mädchengestalt geformt worden, die einfach und innreich den Spruch allegorisirt: „Durch Leid zum Sieg." Die Huldin reicht dem Genius den Lorbeer und wehrt die Dornen ab, die den Geisteshelden verwunden könnten. Mit feiner Empfindung für das Malerische und mit Vermeidung des Theatralischen ist Zerritsch zu Werke gegangen. Die weibliche Gestalt ist aus weißem Marmor, die helle Farbe des Materials vereinigt sich mit der grün antikisirten Bronze der Büste und des Dornenstrauches, mit dem rothgoldenen Lorbeergezweige und der goldig funkelnden Leier zu einem effect- und stimmungsreichen Ganzen. Der Schöpfer des Denkmals, Franz Zerritsch, ist ein Wiener Kind, in der Josephstadt anno 1865 geboren. Bei Tilgner lernte er die Bildhauerkunst und vertraute ihm der Meister größere Aufgaben an. Tilgner liebte seinen hochbegabten Mitarbeiter und oft äußerte er sich scherzhaft: „Was der Mensch Alles kann." Nach Tilgner's Heimgang übernahm er das Atelier, aus welchem, von Zerritsch' Hand gemeißelt, das Grabdenkmal für den unvergeßlichen Lehrer hervorging. Viele Leute haben dieses steinerne Zeichen treuer Liebe am Centralfriedhofe bewundert. Von Zerritsch rühren ferner her die vortrefflich gelungene Büste von Siegfried Wagner und von Pereß. Heute tritt der Künstler in die Reihe der Männer, die Wiens Straßen mit Standbildern schmücken helfen, mit Wahrzeichen in Marmor und Erz aller Welt verkündend, wie Wien seine Meister ehrt.

183

Postkarten: **b)** Ansicht von vorne im "Verlag Brüder Kohn. Wien I, No.270" mit Bildunterschrift "Wien Brucknerdenkmal im Stadtpark", Format 13,5 x 8,7 cm (Postkarte verschickt von "Irene P." und "Dr. Pinsker"). - **c)** Ansicht etwas von links, Bruckners Kopf von vorne von "F. Prohaska, Wien IX/I See-gasse 12. Nachdruck verboten.", Format 14 x 9 cm, unten beschriftet "Wien I. Stadtpark, Bruckner-Denkmal.", links daneben auf einer Kranzschleife handschriftlich "Enthüllung am 25.October 1899.", rechtes Kartendrittel ein mit "No.1" bezeichnetes zweizeiliges Notensystem mit vier Takten, betitelt (links) "Adagio aus der 7.Symphonie. (E dur)", (rechts) "Anton Bruckner geb. 4.September 1824 gest. 11.Octob. 1896.", signiert "Erwin.". - **d)** Ansicht etwas von rechts, Bruckners Kopf im Profil von "F. Prohaska, Wien IX/I Seeg. 12. Nachdruck verbot.", Format 14 x 9 cm, unten beschriftet "Wien I. Stadtpark, Bruckner-Denkmal.", rechtes Kartendrittel ein mit "No.2." be-zeichnetes zweizeiliges Notensystem mit zehn Takten, betitelt "Quintett in F dur. Adagio. Anton Bruckner.", signiert "Wien, 2.December 1899. Erwin." (Postkarten **c** und **d** sind adressiert an "Fräulein Lili Sassi, Wien I, Wollzeile 40"). - **e)** Ansicht etwas von links von "W.Mihich 311", Format (beschnitten) 11,8 x 7,8 cm, mit einem kleinen Ausschnitt aus dem das Denkmalgelände umschließenden Jugendstilgitter. - **f)** Ansicht von halblinks mit Stadtpark-umgebung im Verlag "K. Ledermann, Wien I. - 1907." (Rückseite), Format 9 x 13,9 cm, unten beschriftet "Anton Bruckner-Denkmal von Viktor Tilgner, Sockel von Zerritsch. Stadtpark. Wien.". - **g)** Ansicht etwas von links, spätere photographische Aufnahme. - Gräflinger 1927, Taf.28

Anmerkungen: Die Stadtgemeinde Wien hatte 1898 den Beschluß gefaßt, Bruckner ein Denkmal zu widmen, und Fritz Zerritsch den mit 5.300 Gul-den dotierten Auftrag dazu gegeben. Der Künstler schuf die Muse dieses Denkmals zur Erinnerung an die erste Frau seines Freundes Carl Almeroth (Göll.-A. 4/4, S.29). - Die Enthüllung fand am 25.10.1899 im Wiener Stadt-park im Beisein des Wiener Bürgermeisters Dr. Karl Lueger statt. Ein Chor von 120 Sängern - Vertretern aller Wiener Gesangsvereine - sang unter Lei-tung von Adolf Kirchl Bruckners Männerchor Germanenzug (WAB 70). Anschließend wurden an dem Denkmal Lorbeerkränze der verschiedenen Gesangsvereine niedergelegt. - Das Denkmal, das in den letzten Jahren im-mer wieder von Vandalen schwer beschädigt wurde, bekommt einen neuen, geschützten Standort (erwogen wird ein Innenhof im alten Wiener Universi-tätsviertel, das zur Zeit restauriert wird). - An einem anderen Platz des Stadtparks, in der Nähe des Teiches, steht seit 1988 ein neues Bruckner-Denkmal: die Tilgner-Büste auf einem vom Bildhauer Stefan Kameyeczky, Wien, entworfenen einfachen Marmorsockel (siehe Bruckner-Ikonographie Teil 2).

107   1899

Künstler: unbekannt

Darstellung: "Bei der Enthüllung des Bruckner-Denkmals." Links Gustav Mahler, rechts Teil des Denkmals (Bruckner-Büste im Profil nach links), da-zwischen Festgäste und Fahnen

Gattung: Karikatur, Zeitungsdruck
Material: Papier
Format: unbekannt; Druck 7,5 x 24 cm
Vorlage: Denkmal (siehe Nr.106)
Besitzer: unbekannt
Literatur: -
Reproduktionen: Kikeriki 39(1899) Nr.88 vom 2.11., S.2
Anmerkungen: Text unterhalb der Karikatur: "Mahler: Mir scheint eppes, die Figur will was von mir? Anmerkung des Kikeriki: Na freilich! Sie sagt: 'Gehst net weiter, Du musikalischer Bamschabel!' ("Bamschabel": eine grob-freundliche Bezeichnung Bruckners für Schüler und Studenten, die nicht immer seinen Ansprüchen genügten).

108   **1899**

Künstler: Otto Böhler, Wien
Darstellung: Bruckner (obere Reihe, vierter von links; ganze Figur, tanzend, Kopf im Profil nach links) bei einem Walzerkonzert im Himmel mit vierzehn weiteren Musikern, zahlreichen musizierenden bzw. tanzenden Engeln und der heiligen Cäcilia, betitelt "Heut' spielt der Strauß"
Gattung: geschnittene Silhouette
Material: Papier
Format: 43 x 61 cm
Vorlage: aus dem Gedächtnis
Besitzer: laut Schöny 1968 noch Susanne v. Erb, Baden; Photographie Österreichische Nationalbibliothek, Porträtsammlung und Bildarchiv, Wien, Sign. L 274.679
Literatur: -
Reproduktionen: Werckmeister-Verlag, Berlin (laut Schöny); Schöny G 17f
Anmerkungen: Serie B Nr.16. - Die fünf tanzenden Musikerpaare sind (von links nach rechts): Joseph Haydn mit Robert Schumann, Wolfgang Amadeus Mozart mit Anton Bruckner, Georg Friedrich Händel mit Christoph Willibald Gluck, Hans v. Bülow mit Johannes Brahms und Carl Maria v. Weber mit Franz Schubert, dazwischen steht, mit Geige in der Hand dirigierend, Johann Strauß. Darunter tanzen Franz Liszt (links) und Richard Wagner (rechts) jeweils mit einem kleinen Engel. Rechts unten sieht Ludwig van Beethoven dem Treiben nachdenklich zu, links unten stehen Johann Sebastian Bach und die heilige Cäcilia. - Zur Datierung: 1899 war das Sterbejahr von Johann Strauß.

109   **um 1900**

Künstler: Johann Scherpe, Wien
Darstellung: Büste; rechts unten bezeichnet "Scherpe", Sockel mit Beschriftung "BRUCKNER"

Gattung: Vollplastik
Material: Bronze
Format: 47,5 x 35 x 21 cm
Vorlage: unbekannt
Besitzer: Historisches Museum der Stadt Wien I.N. 18.621
Literatur: -
Reproduktionen: Gräflinger 1927, Taf.26
Anmerkungen: Die Büste war eine Spende der Pariser Weltausstellungskommission.

110   **ca. 1900**

Künstler: Otto Böhler, Wien
Darstellung: Bruckner (ganze Figur, stehend, Profil nach links) empfängt Josef Schalk im Himmel, rechts hinter Bruckner der heilige Petrus
Gattung: Gemälde, Karikatur
Material: Deckfarben auf Papier
Format: 60 x 46 cm
Vorlage: aus dem Gedächtnis
Besitzer: Historisches Museum der Stadt Wien I.N. 77.594
Literatur: -
Reproduktionen: Schöny K 8
Anmerkungen: Das Porträt Bruckners hat Ähnlichkeit mit anderen Karikaturen Otto Böhlers (siehe Nr.78, 79 und 101). - Schöny datiert es "1911 (?)", in der Annahme, daß dies das Todesjahr Josef Schalks sei, der aber bereits 1900 verstorben ist.

111   **1901**

Künstler: unbekannt
Darstellung: Brustbild, Profil nach links, im Oval, in der Mitte eines Tableaus mit acht weiteren Komponisten
Gattung: Postkarte, faltbar
Material: Papierkarton
Format: 14,4 x 9,5 cm; gesamt (aufgefaltet) 28,5 x 29 cm; Oval 2,5 x 1,8 cm
Vorlage: Photographie (siehe Nr.36)
Besitzer: Österreichische Nationalbibliothek, Musiksammlung, Wien, Sign. F 28 Göllerich 425; Stadtmuseum Linz Nordico, Postkartensammlung
Literatur: -
Reproduktionen: -
Anmerkungen: Vorderseite beschriftet "Jubel-Postkarte zur Erinnerung an das erste Oberösterr. Musikfest anlässlich des 30jährigen Bestandes des Musikvereines in Linz. 23., 24., 25.März 1901." "Druck von E. Mareis, Linz." Die anderen "Tondichter, deren Werke am Jubelfeste zur Aufführung gelang-

ten", sind (jeweils von links nach rechts) in der oberen Reihe Alexander Ritter, Wilhelm Kienzl, Josef Reiter und Richard Strauss, in der unteren Reihe Johann Sebastian Bach, Ludwig van Beethoven, Johannes Brahms und Franz Liszt. Abbildungen auf den Seitenflügeln der aufgefalteten Postkarte: links "Eingang zur Musikschule im Nordico", rechts "Betlehemstrasse mit Nordico". - Auf der Rückseite oben "Musikvereins-Schule", darunter "Ausschuss des Linzer Musikvereines" mit den Porträts von Emil Fink, Karl Graf, Alois Königstorfer, Dr. Adolf R. v. Kissling (linke Reihe), Richard Hofmann, Karl Franck, Franz Pramer, Hans Knapp (mittlere Reihe), Alfred Erhard, Adolf Hellmann, Franz Brunner, Alois Schausberger (rechte Reihe). Auf den Seitenflügeln links "Karl Reininger, Vorstand des Musikvereines", rechts "August Göllerich, Musik- und Schuldirector".

112 a,b   **1903**

Künstler: unbekannter Freund August Göllerichs
Darstellung: ganze Figur, stehend, Profil nach links, gespreizte Hand; Text: "Nun? <u>Nix?</u> ? Herzl. Gruss aus Troppau"
Gattung: Schattenbild, Karikatur
Material: Tusche auf Papier (Postkarte)
Format: gesamt 14 x 9 cm; Brucknerdarstellung 4,5 x 2,5 cm
Vorlage: vielleicht Böhler-Schattenrisse
Besitzer: Österreichische Nationalbibliothek, Musiksammlung, Wien, Sign. F 28 Göllerich 395
Literatur: -
Reproduktionen: -
Anmerkungen: Die Zeichnung wurde auf der freien Seite einer gedruckten "Correspondenz-Karte" angefertigt. Poststempel "6.X.03 Troppau" und "7.10.03 Linz". Adresse: "Hochwohlgeboren Herrn August Göllerich, Musikdirector, Linz a/D., Ob-Oesterr., Herrengasse 39".

113   **um/nach 1903**

Künstler: Hans Allmayer, Wien
Darstellung: Brustbild, Profil nach rechts; links unter dem Schulterabschnitt bezeichnet "H. Allmayer"
Gattung: geschnittene Silhouette (Scherenschnitt)
Material: Papier
Format: 13,8 x 9 cm
Vorlage: aus dem Gedächtnis
Besitzer: Historisches Museum der Stadt Wien I.N. 66.267
Literatur: -
Reproduktionen: -
Anmerkungen: -

Künstler: Hans Allmayer, Wien
Darstellung: Brustbild, Profil nach rechts; links unter dem Schulterabschnitt
bezeichnet "H. Allmayer"
Gattung: geschnittene Silhouette (Scherenschnitt)
Material: Papier
Format: 13,5 x 9 cm
Vorlage: aus dem Gedächtnis
Besitzer: Historisches Museum der Stadt Wien I.N. 76.618/161
Literatur: -
Reproduktionen: -
Anmerkungen: -

Künstler: Hans Allmayer, Wien
Darstellung: Brustbild, Profil nach links; rechts unter dem Schulterabschnitt
bezeichnet "H. Allmayer"
Gattung: geschnittene Silhouette (Scherenschnitt)
Material: Papier
Format: 13 x 9 cm
Vorlage: aus dem Gedächtnis
Besitzer: Anton Bruckner-Institut Linz
Literatur: -
Reproduktionen: "Anton Bruckner und Linz". Ausstellung im Rahmen des
Internationalen Brucknerfestes Linz 1986 im Tourotel Linz. Ausstellungska-
talog. Linz 1986
Anmerkungen: Das Original wurde 1913 von Paul Kammerer als Postkarte
(an den päpstlichen Geheimkämmerer Jakob Schreiner) verwendet und
trägt auf der Rückseite den Stempel "BIOLOGISCHE VERSUCHSAN-
STALT IN WIEN (Prater 'Vivarium')". - Der Künstler besserte sein Ein-
kommen damit auf, daß er in verschiedenen Lokalen auf Bestellung Scherenschnitte anfertigte.

Künstler: Hans Allmayer, Wien
Darstellung: Brustbild, Profil nach links, mit faksimilierter Unterschrift
Bruckners; rechts unter dem Schulterabschnitt bezeichnet "H. Allmayer"
Gattung: Druck nach Scherenschnitt
Material: Papier
Format: 10,5 x 9 cm
Vorlage: aus dem Gedächtnis

Besitzer: Anton Bruckner-Institut Linz
Literatur: -
Reproduktionen: Meister der Tonkunst (Umschlagtitel Meister der Töne).
Nach Scherenarbeit wiedergegeben von Hans Allmayer. Wien: "Cottage"-
Verlag, O. Hinterberger Wien, XVIII., Michaelerstraße Nr.18. Druck von A.
Reisser, G.m.b.H., Wien, VH.
Anmerkungen: Diese ohne Jahresangabe erschienene kleine Mappe enthält
Scherenschnitte folgender Komponisten: "Beethoven, Bach, Brahms, Bruck-
ner, Gluck, Händel, Haydn, Liszt, Lanner, Mozart, Mendelssohn, Meyer-
beer, Rubinstein, Schubert, Schumann, Strauß Joh., Strauß [!] Rich., Verdi,
Wagner, Weber". Das Bruckner-Blatt ist mit den Geburts- und Sterbedaten
bedruckt.

117   **1903**

Photograph: Franz Hanfstaengl, München
Darstellung: Halbfigur, etwas nach links
Gattung: Photogravure
Material: Papier
Format: Bildgröße 23,1 x 17,2 cm; Prägerand 29,8 x 22 cm; Papierrand 44 x
32 cm
Vorlage: Photographie (siehe Nr.70)
Besitzer: Anton Bruckner-Institut Linz; Historisches Museum der Stadt
Wien I.N. 77.382
Literatur: Schöny F 19b
Reproduktionen: -
Anmerkungen: Laut Schöny "Photogravure der Photographischen Gesell-
schaft Berlin (= Berliner Verlagshaus von Hanfstaengl, München. Aus
'Corpus imaginum') Nr.4629, ... mit handschriftlicher Anmerkung 'Nach ei-
ner Wiener Aufnahme, deren Datum nicht bekannt ist, 1903 von der Photo-
graphischen Gesellschaft Berlin hergestellt' (laut Karte von F. Hanfstaengl
vom 8.Februar 1936 in den Akten des Historischen Museums der Stadt
Wien: 'Negativ 1903 aus Wien erhalten'...".

118   **1903**

Künstler: L. F. Schrott, Wien ?
Darstellung: Brustbild, Profil nach links; links unten bezeichnet "A. ch. [?]",
rechts unten "L. F. Schrott"
Gattung: Holzstich, Zeitungsdruck
Material: Papier
Format: unbekannt; Druck 17,5 x 15 cm
Vorlage: Photographie (siehe Nr.36)
Besitzer: unbekannt

Literatur: -
Reproduktionen: Deutsches Volksblatt, Beilage "Plauderstübchen" zur Abendausgabe 12.2.1903
Anmerkungen: Diese Abbildung erschien zusammen mit einem kurzen Artikel zur Uraufführung der Neunten Symphonie Bruckners am 11.2.1903.

119   **1906 oder früher**

Künstler: unbekannt
Darstellung: Brustbild von vorne; links unten bezeichnet "V. A. Heck, Wien / 16", rechts unten "Deposé", in der Mitte "Bruckner"
Gattung: Lichtdruck
Material: Papier
Format: Bildgröße 15,7 x 11,8 cm; Plattenrand 20 x 15 cm
Vorlage: vielleicht Photographie-Ausschnitt (siehe Nr.39)
Besitzer: Historisches Museum der Stadt Wien I.N. 76.618/72
Literatur: -
Reproduktionen: Die Musik 6(1906/07) 1.Quartal, nach S.64; Gräflinger 1927, Taf.3
Anmerkungen: Die Firma Heck besitzt keine Unterlagen mehr für eine genauere Datierung und auch kein Archivexemplar.

120 a,b   **vor 1907**

Künstler: Alfred Cossmann, Wien
Darstellung: zwei Skizzen zur Totenmaske, Profil nach rechts; unter dem Halsabschnitt bezeichnet a) links "Studie f. d. Ex libris Andorfer", rechts "Bruckners Todtenmaske rechte Seite A. C."; b) links "Studie f. d. Ex libris Andorfer", rechts "rechte Seite A. C."
Gattung: Zeichnungen
Material: Bleistift auf Papier
Format: unbekannt; Zeitungsdruck 10 x 7,5 cm
Vorlage: Totenmaske (siehe Nr.87)
Besitzer: unbekannt; Zeitungsausschnitt mit Abbildungen Österreichische Nationalbibliothek, Musiksammlung, Wien, Sign. F 30 Gräflinger 668
Literatur: Prof. Cossmann läßt uns in seine Mappe blicken, unbezeichneter Zeitungsausschnitt (S.342 ff., S.342 Proben aus der Skizzenmappe Professor Coßmanns); Cossmann S.136; Zamazal S.25 f.
Reproduktionen: S.342 des Zeitungsausschnittes (siehe oben)
Anmerkungen: Das Exlibris Karl Andorfers (siehe Nr.122) ist datiert "1907", deshalb wird die Entstehung dieser Skizzen vor 1907 angenommen. Die Originalzeichnungen dürften im Format etwas größer sein (vgl. Schriftgröße von Nr.121).

Künstler: Alfred Cossmann, Wien
Darstellung: fünf Skizzen zur Totenmaske, davon vier Profile nach rechts, ein Profil nach links; auf der linken Seite bezeichnet "Anton Bruckners Totenmaske", auf der rechten Seite "A [in] C"
Gattung: Zeichnungen
Material: Bleistift auf Papier
Format: 8,4 x 7,7 cm
Vorlage: Totenmaske (siehe Nr.87)
Besitzer: unbekannt
Literatur: Cossmann S.136; Zamazal S.25 ff.
Reproduktionen: Cossmann Taf.62, originalgroße (!) Abbildung; Zamazal S.25
Anmerkungen: siehe Nr.120. - Abbildung im Originalformat.

122 1907

Künstler: Alfred Cossmann, Wien
Darstellung: Brustbild, Profil nach links; eingerahmt von geschlungener Schleife (beschriftet "ANT[ON] BRUCKNER"), Lorbeerzweig und drei Engeln, hinter dem Kopf vier Orgelpfeifen; links unten bezeichnet "COSSMANN ALF. 1907", unter dem Lorbeerzweig beschriftet "EX-LIBRIS KARL ANDORFER - WIEN"
Gattung: Exlibris, Kupferstich
Material: Papier
Format: Bildgröße 15,5 x 9,5 cm; Prägerand 16 x 10 cm; Blattgröße 25 x 18 cm
Vorlage: vielleicht Photographie (siehe Nr.36) oder Graphik (siehe Nr.90)
Besitzer: Gesellschaft der Musikfreunde, Archiv, Wien; Photographie Österreichische Nationalbibliothek, Porträtsammlung und Bildarchiv, Wien, Sign. 19.837
Literatur: -
Reproduktionen: -
Anmerkungen: Cossmann gestaltete zwei verschiedene Exlibris für den Wiener Karl Andorfer (Nr.122 und 123).

123 1908

Künstler: Alfred Cossmann, Wien
Darstellung: Brustbild, Profil nach rechts, im Oval, oben Schleife (beschriftet "ANT[ON] BRUCKNER") sowie zwei Engel mit Lorbeerzweigen und Noten, hinter dem Kopf Orgelpfeifen; unter dem Oval beschriftet "EX LIBRIS KARL ANDORFER", rechts darunter bezeichnet "Alf. Cossmann."

Gattung: Exlibris, Kupferstich
Material: Papier
Format: Bildgröße 13 x 9 cm; Prägerand 14 x 10,5 cm; Blattgröße 20 x 14 cm
Vorlage: Büste (siehe Nr.55)
Besitzer: Historisches Museum der Stadt Wien I.N. 33.898; Gesellschaft der Musikfreunde, Archiv, Wien
Literatur: -
Reproduktionen: -
Anmerkungen: Vergleiche Anmerkung zu Nr.122. - Eine sehr ähnliche Darstellung im Oval verwendete Cossmann für sein Gedenkblatt für Anton Bruckner (1924 ?, siehe Nr.175).

124   **1909**

Künstler: unbekannt
Darstellung: Brustbild, Dreiviertelprofil nach rechts, mit faksimilierter Unterschrift Bruckners
Gattung: Stahlstich, Zeitungsdruck
Material: Papier
Format: unbekannt; Druck 8 x 7,5 cm
Vorlage: Photographie (siehe Nr.18)
Besitzer: unbekannt
Literatur: -
Reproduktionen: B. Kothe's Abriss der allgemeinen Musikgeschichte. 8., auf Grund der neuesten Forschungen vollständig umgearbeitete Auflage von Rudolph Frh. Procházka. Leipzig 1909, S.312
Anmerkungen: Diese 8.Auflage von Kothes Musikgeschichte bringt (1909) erstmals eine ausführliche Würdigung von Bruckners Leben und Werk.

125   **um 1910**

Künstler: Alfred Cossmann, Wien
Darstellung: Brustbild, Profil nach rechts, zusammen mit mehreren Skizzen und Notizen
Gattung: Radierung, Versuchsplatte
Material: Kupfer, Abdruck auf Papier
Format: unbekannt; Druck ca. 30 x 12 cm
Vorlage: Büste (siehe Nr.55)
Besitzer: unbekannt
Literatur: Cossmann S.101
Reproduktionen: Cossmann Taf.4
Anmerkungen: Versuch einer Radierung, vielleicht Entwurf für Exlibris Andorfer (siehe Nr.123).

Künstler: Josef Tautenhayn jun., Wien
Darstellung: Kopf, Profil nach links; Relief in Quer-Achteck auf großer Tafel mit Zier-Randleiste auf beiden Längsseiten und der oberen Schmalseite; Tafel rechts unten bezeichnet "J. TAUTENHAYN FECIT 1911"
Gattung: Gedenktafel
Material: rötlicher Marmor
Format: Quer-Achteck 44 x 52 cm; Gedenktafel 145,5 x 68 cm; Gesamtfläche 156 x 87 cm
Vorlage: unbekannt
Besitzer: Universität Wien
Literatur: Anton Bruckner. (Zur Enthüllung des Denkmales in der Wiener Universität), in: Neues Wiener Journal 11.2.1912; Die Enthüllung des Anton Brucknerdenkmales in der Wiener Universität, in: Neue Freie Presse 11.2.1912; Die Brucknerdenkmalfeier in der Wiener Universität, in: ebenda 12.2.1912; Gedenktafel in der Wiener Universität, in: Neue Zeitschrift für Musik 79(1912) S.208
Reproduktionen: Göll.-A. 4/4, nach S.40
Anmerkungen: Die Gedenktafel wurde am 11.2.1912 im Arkadenhof der Wiener Universität enthüllt. Die Beschriftung lautet: "ANTON BRUCKNER, EHRENDOKTOR DER WIENER UNIVERSITÄT, MDCCCXXIV - MDCCCXCVI, NON CONFUNDAR IN AETERNUM, AKADEMISCHER GESANGVEREIN IN WIEN". - Bruckner war seit 1875 Lektor an der Universität und erhielt 1891 das Ehrendoktorat.

Künstler: M, Wien
Darstellung: Bruckner (ganze Figur, sitzend, Kopf etwas nach links) mit Ludwig van Beethoven und Gustav Mahler beim Kegeln; rechts oben in einem Kasten bezeichnet "m"; betitelt "Alle Neune!"
Gattung: Karikatur, Zeitungsdruck
Material: Papier
Format: unbekannt; Druck 8 x 24 cm
Vorlage: aus dem Gedächtnis
Besitzer: unbekannt
Literatur: -
Reproduktionen: Kikeriki 52(1912) vom 23.6.; Ernst Hilmar, Musiker-Karikaturen von Mahler bis zur Gegenwart (212.Wechselausstellung der Wiener Stadt- und Landesbibliothek). Wien 1987, Nr.10
Anmerkungen: Diese Karikatur erschien zu den Aufführungen der jeweils Neunten Symphonien von Beethoven, Bruckner und Mahler während der Musikwoche 1912 in Wien. - Text unterhalb der Karikatur: "Mahler: Ai waih! - Beethoven: Dir werd' ich an' Kranz geben! - Bruckner: Setz no amal auf, Bua, jetzt'n kumm erscht i no dran!"

Künstler: Marie v. Liel, Graz
Darstellung: Brustbild von vorne
Gattung: Gemälde
Material: Ölfarben auf Leinwand
Format: unbekannt; Postkarte 14,3 x 9,2 cm
Vorlage: Photographie (siehe Nr.37)
Besitzer: unbekannt, vielleicht F. A. Ackermanns Kunstverlag G.m.b.H., München
Literatur: -
Reproduktionen: Postkarte "F. A. Ackermanns Kunstverlag, G.m.b.H., München, Serie 705 - (Copyright)"; Kongreßbericht zum V.Internationalen Gewandhaus-Symposion: Anton Bruckner - Leben, Werk, Interpretation, Rezeption, anläßlich der Gewandhaus-Festtage 1987, Leipzig 9.-11.Oktober 1987 (Dokumente zur Gewandhausgeschichte 7). Hrsg. Steffen Lieberwirth. Leipzig 1988, Frontispiz (Ausschnitt)
Anmerkungen: Die Postkarte trägt unterhalb des Bildes die Beschriftung "Anton Bruckner", links unten "A 7048", rechts unten "M. v. Liel pinx.". - Laut Geschäftsunterlagen der Musikalienhandlung M. Oelsner, Leipzig, wurden Exemplare dieser Postkarte im Jahre 1912 bei Ackermanns Kunstverlag bestellt.

Künstler: Edi Naumann, Wien
Darstellung: ganze Figur, auf einem Sockel sitzend, Profil nach rechts, dahinter Figuren und Landschaft; Sockel beschriftet "IN MEMORIAM", in die Exlibris-Zeile - "MARIE BLASCHEK-DEMAR", "EX LIBRIS" - ragt die Abbildung eines Briefabschnittes Brucknes aus dem Jahr 1885; rechts unten, außerhalb des Bildfeldes, handschriftlich bezeichnet "Edi Naumann"
Gattung: Exlibris, Radierung
Material: Papier
Format: Bildrand 15,2 x 9,8 cm; Plattenrand 16 x 10,6 cm
Vorlage: unbekannt
Besitzer: Historisches Museum der Stadt Wien I.N. 37.873; Gesellschaft der Musikfreunde, Archiv, Wien
Literatur: Göll.-A. 4/2, S.323 ff.
Reproduktionen: -
Anmerkungen: Marie Demar, später Blaschek-Demar, für die dieses Exlibris angefertigt wurde, stammte aus einer angesehenen Wiener Familie, war Schülerin am Wiener Konservatorium und traf Bruckner gelegentlich in der Wiener Hofoper bei Wagner-Aufführungen. Die spätere Sängerin (z.B. Elisabeth in Wagners Tannhäuser) war für Bruckner, der damals an seiner Achten Symphonie arbeitete, eine wichtige menschliche Beziehung. Er woll-

te sie heiraten und ihr diese Symphonie widmen. Sie aber lehnte trotz ihrer Verehrung für Bruckner die Widmung ab und heiratete 1890 den späteren Ministerial-Rechnungsrat im Wiener Ackerbau-Ministerium Wilhelm Blaschek.

130 a,b   **1914**

Künstler: Anton Grath, Wien
Darstellung: Brustbild, Profil nach links, entlang der Rundform in Jugendstil-Versalien "BRUCKNER"; rechts an der Schulter bezeichnet "Ant. Grath"
Gattung: Medaille
Material: Silber
Format: 3 cm
Vorlage: vielleicht Photographie (siehe Nr.36)
Besitzer: Kunsthistorisches Museum, Münzkabinett, Wien
Literatur: Niggl Nr.424
Reproduktionen: -
Anmerkungen: Auf der Rückseite ist eine nackte Frauengestalt, von hinten gesehen, sitzend an einen Sockel gelehnt, dargestellt.

131 a,b   **um 1914**

Künstler: Leo Zimpel, Wien
Darstellung: Brustbild, Profil nach links, mit Umschrift in Jugendstil-Versalien "Dr. ANTON BRUCKNER. GEB. 4/IX.1824, + 11/X.1896"; links am Schulterrand bezeichnet "L. Z."
Gattung: Medaille
Material: Metall, Bronze u.a.
Format: 4,5 cm
Vorlage: Photographie (siehe Nr.36)
Besitzer: Gesellschaft der Musikfreunde, Archiv, Wien; Linzer Singakademie, vormals Liedertafel "Frohsinn", Linz
Literatur: Niggl Nr.444
Reproduktionen: Die Musik 14(1914/15) nach S.192; Gräflinger 1927, Taf.37
Anmerkungen: Auf der Rückseite ist eine Lyra zwischen Eichenzweigen dargestellt, mit Beschriftung "EHREN = ZEICHEN" (oben), "MGV Kränzchen" (auf dem über die Lyra geschwungenen Band) sowie "STEYR" (unten).

132   **ca. 1920**

Künstler: Rudolf Herrmann, Wien
Darstellung: Brustbild, etwas nach rechts; rechts unten bezeichnet "RUDOLF HERRMANN"

Gattung: Radierung
Material: Papier
Format: Prägerand 22 x 14,4 cm
Vorlage: Photographie (siehe Nr.70, seitenverkehrt)
Besitzer: Anton Bruckner-Institut Linz
Literatur: -
Reproduktionen: -
Anmerkungen: -

133   **ca. 1920**

Künstler: Emil Orlik, Berlin
Darstellung: Brustbild, etwas nach rechts
Gattung: Radierung
Material: Papier
Format: 29,6 x 23 cm
Vorlage: vielleicht Photographie (siehe Nr.70, seitenverkehrt)
Besitzer: unbekannt; Photographie Österreichische Nationalbibliothek, Porträtsammlung und Bildarchiv, Wien, Sign. PNB D 6597
Literatur: -
Reproduktionen: Gewandhaus zu Leipzig. Konzertjahr 1984/1985, zum Sonderkonzert zum Jahreswechsel 29., 30., 31.Dezember 1984
Anmerkungen: Laut diesem Leipziger Jahresprogramm "Sepiazeichnung ... aus der Arthur Nikisch gewidmeten Jubiläumsmappe".

134   **ca. 1920**

Künstler: Alfons Siber, Hall in Tirol
Darstellung: Brustbild, von hinten gesehen, Profil nach rechts
Gattung: Zeichnung, Zeitungsdruck
Material: Bleistift auf Papier
Format: unbekannt; Druck 12,5 x 10 cm
Vorlage: Büste (siehe Nr.55)
Besitzer: unbekannt
Literatur: Franz Kranewitter, Alfons Siber. Eine Impression, in: Tiroler Hochland 1920, S.9 f.
Reproduktionen: ebenda S.10; Ferdinand Krackowitzer, Anton Bruckner. Persönliche Erinnerungen, in: Bergland-Kalender. Innsbruck 1925, S.123
Anmerkungen: In der ORF-Aktion für die Bruckner-Forschung im Jahre 1977 unter dem Titel "Radio Bruckner" kam eine Meldung (Nr.94) von einer Nichte des Künstlers, nach der Bruckner mit dem Künstler befreundet gewesen sei. Leider seien aber weiter keine Einzelheiten überliefert.

Künstler: unbekannt
Darstellung: Brustbild, Profil nach links, im Ornamentoval, umgeben unter anderem von Instrumenten, Noten und Lorbeer sowie Beschriftungen "Dr. A. Bruckner 1824-1896" und "Notgeld der Gemeinde Ansfelden"
Gattung: Druck, Notgeld
Material: Papier
Format: 6 x 9 cm
Vorlage: Photographie (siehe Nr.36)
Besitzer: Anton Bruckner-Institut Linz
Literatur: -
Reproduktionen: -
Anmerkungen: Notgeld für 50 Heller; Rückseite:

Künstler: Emil Prietsel ?, Steyr ?
Darstellung: Brustbild, Profil nach links, unter anderem mit Wappen und Lorbeer sowie Beschriftungen "In harter Zeit Gott Schutz verleiht." und "Anton Bruckner"; Geldschein rechts unten bezeichnet "E. PRIETSEL ..." (?, vergleiche Nr.36 und 147: Druckerei Emil Prietzel, Steyr)
Gattung: Druck, Notgeld
Material: Papier
Format: 6 x 8 cm
Vorlage: Photographie (siehe Nr.36)
Besitzer: Othmar Wessely, Wien
Literatur: -
Reproduktionen: -

Anmerkungen: Notgeld für 50 Heller; auf der Vorderseite links unter dem Bruckner-Bild: "Auf Grund des Sitzungsbeschlusses vom 15.März 1920 gibt die Gemeinde St. Florian Gutscheine aus und haftet für die Verbindlichkeit der Einlösung mit dem gesamten Gemeindevermögen.", rechts: "Die Einlösung erfolgt in gesetzlichem Bargelde innerhalb 4 Wochen nach Bekanntgabe bei der Gemeindekasse. Nachahmung wird gesetzlich bestraft.", dazu die Unterschriften von Vizebürgermeister und Bürgermeister. Auf der Rückseite unter anderem Ansicht vom "Markt St. Florian" in verzierter Umrahmung, darüber in Frakturschrift "Fünfzig Heller":

137 a,b   1920

Künstler: Karl Hayd, Linz
Darstellung: Brustbild, Profil nach rechts, im Oval, überschrieben "Anton Bruckner", darunter auf Schrifttafel: "Wenn mich mein Gott einmal vor seinen Richterstuhl ruft und ich mit meinen guten Werken als zu gering befunden werden sollte so zeige ich auf mein 'Te Deum' und ich hoffe er wird mir ein barmherziger Richter sein."; Geldschein unten bezeichnet "Karl Hayd."
Gattung: Druck, Notgeld
Material: Papier
Format: 10 x 5,2 cm
Vorlage: Photographie (siehe Nr.18)
Besitzer: Othmar Wessely, Wien
Literatur: -
Reproduktionen: -
Anmerkungen: Notgeld für 80 Heller; auf der Rückseite: "Wahlschatzschein 80 [im Oval] heller der deutschen Freiheits- und Ordnungspartei in Oberöst. Dieser Anlehensschein bildet einen Teil des Wahlfondes der deutschen Freiheits- u. Ordnungspartei in Oberösterreich. Die Parteileitung wird die

198

Einlösungsfrist verlautbaren. Dieser Schein verliert seine Giltigkeit, wenn er nicht spätestens 3 Wochen nach Ablauf dieser Einlösungsfrist bei den hiezu bestimmten Stellen vorgewiesen wird, Linz u. Wels im Sept. 1920. Die Parteileitung der deutschen Freiheits- u. Ordnungspartei in Oberösterreich."

138 a,b   **1921**

Künstler: Siegfried Rüffler, Wels
Darstellung: Büste; unter dem Kragenansatz bezeichnet "Rüffler 1921"
Gattung: Vollplastik
Material: Gips, bronziert
Format: 31 x 18 x 22 cm
Vorlage: unbekannt
Besitzer: Hans Sachs-Chor, Wels, vormals Männergesangverein Wels 1847
Literatur: Welser Anzeiger 8.3.1924
Reproduktionen: -
Anmerkungen: Der Welser Anzeiger berichtete am 8.3.1924 u.a.: "Schon vor einiger Zeit wurde durch den jungen Künstler Büffler [!] für den Verein eine Bruckner-Büste geschaffen. Den Auftakt zur Feier wird schon in allernächster Zeit die Enthüllung der Bruckner-Büste im Vereinsheim bilden." Laut Chronik des Welser Hans Sachs-Chores, ehemals Männergesangverein Wels, fand die Enthüllung am 24.3.1924 im Vereinsheim statt, das Festkonzert am 13.4.1924 (Palmsonntag, mit mehreren Werken von Bruckner). - Siegfried Rüffler wurde am 23.4.1924 in den Chor aufgenommen.

139   **1921**

Künstler: Edi Naumann, Wien
Darstellung: Kopf, Profil nach links; rechts im Rund bezeichnet "E. NAUMANN"
Gattung: vertieftes Relief (im Rund) auf Gedenktafel
Material: Bronze auf weißem Marmor
Format: Relief 40 cm; Gedenktafel 85 x 62 cm
Vorlage: vermutlich Photographie (siehe Nr.36)
Besitzer: Schloß Belvedere, Wien
Literatur: Die Landstraße in alter und neuer Zeit. Wien 1921; Göll.-A. 4/4, S.69; Hans Markl, Die Gedenktafeln Wiens. Wien 1948
Reproduktionen: Gräflinger 1927, Taf.34
Anmerkungen: Die Gedenktafel mit dem Text "In diesem Haus starb ANTON BRUCKNER am 11.Oktober 1896." war eine Stiftung von Max Soeser, dem Obmann des Wiener Schubertbundes, anläßlich des 25.Todestages Bruckners; sie ist am Kustodenstöckl im Schloß Belvedere, Wien, angebracht.

Künstler: Franz Plany, Linz
Darstellung: Kopf, Profil nach links; rechts im Rund bezeichnet "Plany Linz 1922"
Gattung: vertieftes Relief (im Rund) auf Gedenktafel
Material: Bronze auf Stein
Format: Relief ca. 40 cm; Gedenktafel ca. 140 x 95 cm
Vorlage: Photographie (siehe Nr.36)
Besitzer: Alter Dom, Linz
Literatur: Tagespost, Linz 18.1.1922 und 22.5.1922
Reproduktionen: Gräflinger 1927, Taf.31
Anmerkungen: Die Gedenktafel ist am Alten Dom in Linz angebracht und trägt unterhalb des Reliefs die Aufschrift "Anton Bruckner, 1824 - 1896, Domorganist 1856 - 1868 und Chormeister der Liedertafel Frohsinn.". Die Enthüllungsfeier fand am 21.5.1922 statt. Der "Frohsinn", der den Stein für die Gedenktafel gespendet hatte, sang unter Leitung von August Göllerich Bruckners Inveni David (WAB 19).

Künstler: Edmund Schröder, Berlin
Darstellung: Brustbild, Profil nach links
Gattung: Relief
Material: Gips ?
Format: unbekannt; Reproduktion 11,9 x 10 cm bzw. 10,6 x 8,4 cm
Vorlage: angeblich keine
Besitzer: unbekannt
Literatur: Die Musik 15(1922/23) 1.Quartal, S.448
Reproduktionen: ebenda nach S.416; Gräflinger 1927, Taf.38
Anmerkungen: Die Anmerkung in Die Musik (siehe oben) lautet: "Das Relief ist von Edmund Schröder modelliert, dem durch seine Michelangelo-Lieder auf dem Donaueschinger Musikfest vorteilhaft bekannt gewordenen Komponisten. Nicht nach der Natur, was dem Kenner von Bruckners Zügen sogleich einleuchtet. Der Künstler stellte sich den Darzustellenden im letzten Lebensjahr vor. Etwas fremd scheint die Gegend um den Mund, vielleicht auch das Auge. Sonst ist das Profil scharf gesehen und sicher gezogen, auch darf die Ähnlichkeit gerühmt werden. Schröder hat weitere Reliefs von Beethoven, Reger, Mahler und Richard Strauß [!] geschaffen."

Künstler: Rudolf Junk und Ferdinand Schirnböck, Wien
Darstellung: Brustbild, Profil nach rechts, in verzierter Umrahmung; links unten bezeichnet "RUD. JUNK", rechts unten "F. SCHIRNBÖCK"

Gattung: Briefmarke
Material: Papier, Farbe olivgrün
Format: 3,3 x 2,8 cm
Vorlage: Photographie (siehe Nr.18)
Besitzer: Anton Bruckner-Institut Linz
Literatur: J. Posell, Bruckner-Mahler-Wolf on Austrian Postage Stamps, in: Chord & Discord Vol.2, Nr.10 (1963) S.68
Reproduktionen: -
Anmerkungen: Diese Briefmarke - Wert 25 Kronen - gehört zu einer Serie von Wohltätigkeitsmarken mit Bildnissen österreichischer Komponisten (Haydn, Mozart, Beethoven, Schubert, Bruckner, Strauß, Wolf). Ersttag 24.4.1922, gültig bis 22.5.1922.

143 a,b   1923

Künstler: Franz Seraph Forster, St. Florian
Darstellung: Büste; **a)** Gipsmodell, rechts unten am Sockel bezeichnet "F. S. Forster 1923"; **b)** auf der Rückseite bezeichnet "Franz S. Forster 1923"
Gattung: Vollplastik
Material: a) Gips, **b)** rötlicher Marmor
Format: 63,5 x 25 x 28 cm
Vorlage: siehe Anmerkungen
Besitzer: a) Heimathaus Vöcklabruck (Geschenk Familie Hueber); **b)** Bruckner-Konservatorium, Linz
Literatur: Dr. Nikolussi, An der Wiege des Hessendenkmales. Ein Besuch im Künstlerheim des akad. Bildhauers Franz Forster, in: Linzer Volksblatt, Heimatland Nr.37 vom 9.9.1928; Schöpfer meisterlicher Brucknerbüsten: Franz Forster, St. Florian, in: Brucknerland 1951, Nr.10/11, Beilage "Kunst und Kultur im Brucknerland", S.11 f.; Carl Hans Watzinger, Franz S. Forster - Ein Meister der Bruckner-Plastik, in: Illustrierte Kronenzeitung 26.5.1971; Franz Seraph Forster, Wie die Bruckner-Büste für das Geburtshaus in Ansfelden entstand, in: IBG-Mitteilungsblatt 1972, Nr.3, S.9 f.; Carl Hans Watzinger, Der Florianer Bildhauer Franz S. Forster, in: Oberösterreichische Kulturzeitschrift 31(1981) H.2, S.47-53; Fritz Feichtinger, Bruckner & Forster. Die Brucknerbüsten von Franz S. Forster, St. Florian, in: Oberösterreichische Heimatblätter 41(1987) H.4, S.354-360; "50 Jahre" Vöcklabrucker Heimathaus. Vöcklabruck 1987
Reproduktionen: Orel 1925, Taf.1; Gräflinger 1927, Taf.27; Göll.-A. 4/4, nach S.128; Bruckner-Katalog Linz 1964, Abb.1; Schöny P 3
Anmerkungen: Das Gipsmodell (**a**) dieser Büste stand bis 1961 im Blumenhaus Hueber, Vöcklabruck. - Forster war anwesend, als 1921 (zum 25.Todestag) Bruckners Sarg geöffnet wurde, und schuf seine erste Bruckner-Büste unter diesem Eindruck. Forster studierte damals bei Hellmer in Wien und hatte sehr um "eine gewisse Verkörperung des großen Genies" gerungen. Alle weiteren Bruckner-Büsten und -Reliefs Forsters sind nach 1924 entstanden und werden im Teil 2 der Bruckner-Ikonographie vorgestellt.

Künstler: Karl Friedrich Gsur, Wien
Darstellung: Bruckner (rechts unten; Halbfigur, sitzend, Profil nach links) mit acht weiteren Komponisten in einem "Himmlischen Orchester" mit dirigierendem Gottvater und Engeln unter einem Regenbogen in einem von roten Rosen eingerahmten Oval
Gattung: Buchillustration, farbig
Material: Papier
Format: 13 x 10 cm; Buch 18,5 x 13 cm
Vorlage: unbekannt
Besitzer: unbekannt; Buch Anton Bruckner-Institut Linz u.a.
Literatur: -
Reproduktionen: Robert Hohlbaum, Himmlisches Orchester. Der "Unsterblichen" neue Folge, Novellen. Leipzig: L. Staackmann Verlag 1923. 191 S. Abb. am Buchdeckel
Anmerkungen: Das "Himmlische Orchester" besteht aus Johann Sebastian Bach, Joseph Haydn, Otto Nicolai (obere Reihe), Wolfgang Amadeus Mozart mit Flöte, Johann Strauß mit Geige, Robert Schumann, Johannes Brahms mit Kontrabaß (mittlere Reihe) sowie Richard Wagner mit Pauken und Anton Bruckner an der Orgel (untere Reihe), jeweils von links nach rechts.

Künstler: Maria Grengg, Wien
Darstellung: Brustbild, Profil nach links, in einem Oval von musizierenden Engeln; rechts unter der Schulter bezeichnet "GRENGG"
Gattung: Federzeichnung, Buchillustration
Material: Tusche auf Papier
Format: unbekannt; Druck 15 x 13 cm
Vorlage: Photographie (siehe Nr.36)
Besitzer: unbekannt
Literatur: -
Reproduktionen: Max Auer, Anton Bruckner, in: Der getreue Eckart 1(1923/24) S.648
Anmerkungen: -

Künstler: Franz Plany, Linz
Darstellung: Kopf auf Natursteinsockel; Kopf auf der Rückseite bezeichnet "Franz Plany"
Gattung: Denkmal

Material: Bronze auf vorne geschliffenem Naturstein
Format: Kopf ca. 40 x 25 x 30 cm; Sockel 170 x 100 cm
Vorlage: unbekannt
Besitzer: Gemeinde Ansfelden
Literatur: Bruckner-Feier in Ansfelden. Denkmalenthüllung: Bericht über die Enthüllung des Bruckner-Denkmals in Ansfelden, in: Österreichische Volkszeitung 20.5.1924, S.6; Bruckner-Denkmalenthüllung in Ansfelden, in: Tagespost, Linz 21.5.1924; Göll.-A. 4/4, S.74
Reproduktionen: Gräflinger 1927, Taf.30
Anmerkungen: Die Enthüllung fand am 18.5.1924 statt. Die Aufschrift auf dem Sockel lautet "Anton Bruckner / 1824 / 1924". - Die Abbildung bei Gräflinger zeigt vor dem Gedenkstein eine ehemalige Schülerin Bruckners, die damals 92jährige Josefa Amesbichler, geb. Sucka, aus Neuhofen. - Das Denkmal diente als Vorlage für die folgende Postkarte desselben Künstlers.

147   **1924**

Künstler: Franz Plany, Linz
Darstellung: Kopf, Profil etwas nach links, auf Sockel und Stiegenunterbau vor einem Baum-Halbrund; rechts unten bezeichnet "F. PLANY"
Gattung: Federzeichnung, Postkarte
Material: Papier
Format: 11,7 x 7,9 cm; gesamt 13,8 x 9,1 cm
Vorlage: Denkmal (siehe Nr.146)
Besitzer: Anton Bruckner-Institut Linz
Literatur: -
Reproduktionen: -
Anmerkungen: Die Postkarte mit der Bildunterschrift "BRUCKNER-DENKMAL IN ANSFELDEN" ist auf der Rückseite bedruckt "1909. im Selbstverlage des Bruckner-Grabschutzbundes. - Druckerei Prietzel, Steyr." und trägt den Stempel "Jahrhundert-Feier der Geburt Dr. Anton Bruckners in Ansfelden, O.Ö.".

148 a,b   **1924**

Künstler: Robert Ullmann, Wien
Darstellung: Brustbild, Profil nach links; rechts über der Schulter bezeichnet "R. U."
Gattung: Relief, Plakette
Material: Bronze
Format: ca. 75 x 55 cm; Umrahmung ca. 120 x 95 cm
Vorlage: vielleicht Photographie (siehe Nr.36)
Besitzer: Haus Heßgasse 7, Wien; Photographie Österreichische Nationalbibliothek, Musiksammlung, Wien, Sign. F 31 Auer 612

Literatur: Bruckner-Gedenktafelenthüllung, in: Reichspost, Wien 4.9.1924, S.5; Die Enthüllung des Bruckner-Reliefs in der Heßgasse, in: Neues Wiener Journal 5.9.1924, S.7; Enthüllung der Gedenktafel für Anton Bruckner am Haus Wien I, Heßgasse 7, in: Österreichische Volkszeitung 5.9.1924, S.4; Enthüllungsfeier einer Bruckner-Gedenktafel, in: Reichspost, Wien 5.9.1924, S.7; Gräflinger 1927, S.379; Göll.-A. 4/4, S.76
Reproduktionen: Gräflinger 1927, Taf.33
Anmerkungen: Die Gedenktafel befindet sich an Bruckners Wohnhaus Wien 1, Schottenring 4/Heßgasse 7 in ca. 350 cm Höhe. Sie wurde vom Wiener Schubertbund zum 100.Geburtstag Bruckners gewidmet. Die Aufschrift lautet: "IN DIESEM HAUSE VOLLENDETE ANTON BRUCKNER IN DER ZEIT VON 1877 BIS 1895 DIE BEDEUTENDSTEN SEINER WERKE. DER WIENER SCHUBERTBUND SEINEM EHRENMIT-GLIEDE 4.IX.1924". Die Enthüllungsfeier, bei der der Wiener Schubertbund Bruckners Tafellied (WAB 86) sang, fand am 4.9.1924 statt.

149 a-c   **1924**

Künstler: Josef Tautenhayn jun., Wien
Darstellung: Kopf, Profil nach links; unter dem Halsabschnitt bezeichnet "J. TAUTENHAYN FEC."
Gattung: Medaille
Material: Bronze, Metall
Format: 4 cm
Vorlage: Photographie (siehe Nr.36)
Besitzer: Anton Bruckner-Institut Linz
Literatur: Niggl Nr.440
Reproduktionen: Gräflinger 1927, Taf.35; Niggl Nr.440
Anmerkungen: Die Rückseite der Medaille zeigt eine Ansicht des Stiftes St. Florian, aus der Umgebung gesehen, links unten abermals bezeichnet "J. TAUTENHAYN FEC.", oben in der Rundung vertieft "ST. FLORIAN", im unteren Drittel "HINC EVOLAVI - HIC REQUIEVI, ANTONIUS BRUCKNER MDCCCXXIV - MCMXXIV". In einer Variante (Abb.c) fehlen die römischen Zahlen.

150   **1924**

Künstler: Josef Tautenhayn jun., Wien
Darstellung: Kopf, Profil nach links; unter dem Halsabschnitt bezeichnet "J. TAUTENHAYN FEC."
Gattung: Relief, Plakette einseitig
Material: Eisen
Format: 15,8 cm
Vorlage: Photographie (siehe Nr.36)

Besitzer: Kunsthistorisches Museum, Münzkabinett, Wien
Literatur: -
Reproduktionen: -
Anmerkungen: -

151   **1924**

Künstler: Arnold Hartig, Wien
Darstellung: Brustbild, Profil nach links; unterhalb der abgegrenzten Darstellung und der Umschrift "* ANTON BRUCKNER * 1824 - 1896" bezeichnet "A. HARTIG"
Gattung: Relief, Plakette einseitig
Material: Gips
Format: 18 cm
Vorlage: Photographie (siehe Nr.36)
Besitzer: Stadtmuseum Enns
Literatur: Eine Bruckner-Medaille des Hauptmünzamtes, in: Neues Wiener Tagblatt 4.9.1924
Reproduktionen: -
Anmerkungen: Diese einseitige Plakette unterscheidet sich von der großen Metall-Plakette (siehe Nr.152) dadurch, daß die Darstellung abgegrenzt ist und die Beschriftung als Umschrift in der ganzen Rundung mit einem gepunkteten Zierrand läuft. - Es ist unbekannt, ob diese Plakette in Metall gegossen wurde. - Der gesamte Nachlaß Hartigs liegt im Stadtmuseum Enns.

152 a,b   **1924**

Künstler: Arnold Hartig, Wien
Darstellung: Kopf, Profil nach links, mit Umschrift "ANTON BRUCKNER"; unter dem Halsabschnitt bezeichnet "A. HARTIG"
Gattung: Medaille
Material: Bronze, Silber
Format: 6 cm
Vorlage: Photographie (siehe Nr.36)
Besitzer: Anton Bruckner-Institut Linz
Literatur: Bruckner-Medaille von Arnold Hartig geschaffen, in: Österreichische Volkszeitung 4.9.1924, S.5; Bruckner-Medaille des Hauptmünzamtes, in: Reichspost, Wien 4.9.1924, S.5; Brucknermedaille von Arnold Hartig, in: Österreichische Volkszeitung 20.9.1924, S.5; Göll.-A. 4/4, S.79; Niggl Nr.427; Arnold Hartig, Aus meinem Leben. Wien 1964, S.73
Reproduktionen: Gräflinger 1927, Taf.36
Anmerkungen: Diese Medaille wurde vom Österreichischen Hauptmünzamt zum 100.Geburtstag Bruckners herausgegeben und ist dort heute noch erhältlich. - Auf der Rückseite innerhalb der Umschrift "ZUR FEIER SEI-

NES 100 JÄHR. GEBURTSTAGES" ein in Dornen kniender nackter Mann mit einer Lyra vor einem Landschaftshintergrund und unter strahlender Sonne mit Kreuz, unterhalb der Figur "4.Sept.1924". - Die Medaille gibt es zu verschiedenen Anlässen mit unterschiedlichen Rückseiten, z.B. mit der Brucknerorgel in St. Florian (siehe Darstellung von Alfred Hofmann, 1946, Bruckner-Ikonographie Teil 2) und der Umschrift "Internationale Bruckner Gesellschaft Wien" oder allein mit Schrift "Dem Verdienste um / die / Wiener / Liedertafel / 1860 / 1920 / Das deutsche Lied" (beide Medaillen befinden sich im Münzkabinett des Kunsthistorischen Museums, Wien).

153 a,b   **1924**

Künstler: Arnold Hartig, Wien
Darstellung: Brustbild, Profil nach links, mit Umschrift "ANTON BRUCK-NER 1824-1896"; rechts unterhalb des Kopfes bezeichnet "A. HARTIG"
Gattung: Relief, Plakette
Material: Bronze
Format: 18 cm
Vorlage: Photographie (siehe Nr.36)
Besitzer: Stadtmuseum Enns
Literatur: -
Reproduktionen: -
Anmerkungen: Auf der Rückseite sind die gleiche Darstellung und der gleiche Text wie bei der Bruckner-Medaille von Hartig (siehe Nr.152) zu sehen.

154 a,b   **1924**

Künstler: Tiroler Glasmalerei und Mosaik-Anstalt, Innsbruck
Darstellung: Halbfigur, etwas nach links, mit Notenrolle in der linken Hand, links Ludwig van Beethoven, im Hintergrund Orgelpfeifen
Gattung: Glasfenster
Material: buntes Glas, geschnitten
Format: einzelnes Feld ca. 70 x 70 cm; Gesamthöhe des Fensters ca. 750 cm
Vorlage: unbekannt
Besitzer: Mariä Empfängnis-Dom (Neuer Dom), Linz
Literatur: Florian Oberchristl, Der Mariä-Empfängnis-Dom in Linz a. D. Zum sechzigjährigen Bau-Jubiläum. Linz 1923; ders., Die neuen Gemälde-fenster des Linzer Domes. Linz 1924, S.22 f.; Viktor Kerbler, Dombaujahre. Aus der Geschichte des Linzer Dombaues, in: Reichspost, Wien 29.4.1924, S.2 ff.
Reproduktionen: Postkarte "Kunstverlag Foto Baumgartner GesmbH Graz Österreich Nr.1212 A."
Anmerkungen: Das Glasfenster (linker Seiteneingang der Kirche, erstes großes Fenster rechts) wurde in der "Tiroler Glasmalerei und Mosaik-

Anstalt, Innsbruck" für den Neuen Dom in Linz hergestellt. Die Einweihung des Domes fand am 29.4.1924 statt. - Die Schwarzweißabbildung des Glasfensters (Abb.b) und die dazugehörige Beschreibung stammen aus der Publikation von F. Oberchristl (Die neuen Gemäldefenster, siehe oben):

Im „Linzer Fenster" ist die Kulturgeschichte der Stadt Linz von den ersten Zeiten an und ihre Bedeutung als Stätte der christlichen Zivilisation, als Kaiserstadt und Stadt des höfischen Lebens, der Ritterlichkeit, der Kunst und Wissenschaft und mächtig schaffenden, wohltätigen Bürgersinnes personifiziert. Das Hauptbild zeigt im Hintergrunde die Stadt Linz, darüber schwebt als Schutzfrau die Unbefleckte (nachgebildet der Statue in der Votivkapelle des Domes), von der Sonne umkleidet, mit 12 Sternen gekrönt, den Mond zu Füßen.

Links erhebt sich die markige Gestalt des Apostels der Donaustadt, des hl. Severin; zu seinen Füßen im bischöflichen Ornate Constantius, der erste Bischof von Lorch, als dessen Nachfolger die Bischöfe von Linz betrachtet werden können. Darunter sitzend Kaiser Friedrich III. mit dem Reichsschwerte, Krone und Reichsapfel; er starb 1493 in Linz, sein Herz ist in der Stadtpfarrkirche zu Linz beigesetzt. Ihm verdankt Linz hauptsächlich den Aufschwung als Landeshauptstadt. Daneben die Krönung des Nürnberger Dichters Vinzenz Longinus (Lang) mit dem Lobeerkranze, welche Kaiser Maximilian, „der letzte Ritter", 1501 in Linz vornahm. Daneben steht Kaiser Ferdinand, welcher 1521 in Linz die Hochzeit mit Anna von Ungarn feierte. Damals hatte der oberösterreichische Ritter Sebastian von Losenstein (rechts oben) einen prahlerischen spanischen Ritter mit dem Bihänder kampfunfähig gemacht. Unter dem Losensteiner steht der Astronom Kepler mit dem Fernrohr in der Linken, die Rechte ruht auf dem Globus. Kepler lebte 1612 bis 1628 in Linz und verfaßte hier eines seiner berühmten Werke. Ihm zu Füßen sitzt der Linzer Bürgermeister Adam Pruner, ein Groß-Kaufmann, dessen Schiffe bis Indien fuhren, der Stifter eines Armen- und Waisenhauses, des noch heute bestehenden „Prunerstift" (jetzt Wohnhaus). Ein betendes Waisenkind, mit den Gesichtszügen der Enkelin des Präsidenten der Allgemeinen Sparkasse, Ilse Streit, ermuntert er zum Vertrauen auf die Gottesmutter.

Im unteren Felde rechts ist Julius Wimmer, der Präsident der Allgemeinen Sparkasse in Linz, dargestellt, welche die Kosten dieses Fensters gespendet hatte. Zwei Landleute mit den Gesichtszügen des Präsidenten Josef Huster und des Fräuleins Julia Peterbauer, Hausmeisterin bei Julius Wimmer, überbringen Ersparnisse, in ein Tuch eingewickelt, und erhalten von ihm ein Sparkassebüchel. Im untersten Felde ist das Wappen der Sparkasse, ein Bienenkorb, abgebildet. Das Mittelfeld enthält das Bild der Allgemeinen Sparkasse Linz mit dem reichen Verkehrsleben auf der Promenade. Links davon sind zwei berühmte Tonkünstler abgebildet, Beethoven, der 1812, 1814 und 1815 in Linz, Hotel „Stadt Frankfurt" lebte und Anton Bruckner, der ehemalige Domorganist, welcher zu den ersten Weiheakten des Dombaues seine Kompositionen widmete. Unter dieser Gruppe ist das Wappen der Stadt Linz.

Künstler: Karl Hayd, Linz
Darstellung: Brustbild, Profil nach links; links unten bezeichnet "K. Hayd."
Gattung: Gemälde
Material: Ölfarben auf Leinwand
Format: unbekannt; Postkarte gesamt 14,4 x 10,5 cm, Bildgröße 11,4 x 8 cm
Vorlage: Photographie (siehe Nr.36)
Besitzer: unbekannt; Postkarte Anton Bruckner-Institut Linz
Literatur:
Reproduktionen: Postkarte "O.-Ö. Bruckner-Bund. Bildkarte Nr.1, Verlag: F. Winters Buchhandlung (Ludwig Bauer). Linz a. d. D. - Zaunith'sche Buch- und Kunstdruckerei in Salzburg. 21318."; eine weitere Postkarte "Verlag: Stiftsbuchhandlung St. Florian - Salzburger Druckerei und Verlag" und "Dixi-Bildkunstverlag K. Pechmann, Linz/D., Schillerstraße 29" mit der Nummer "48"; Ausschnitt Kunstkalendarium 4/80. Brucknerhaus Linz. Linz 1980, Titelblatt
Anmerkungen: -

Künstler: Artur Michaelis, Leipzig
Darstellung: Bruckner (links unten; Halbfigur, Profil nach links) an einer Orgel in einer allegorischen Darstellung mit Landschaft und Figuren; links unten bezeichnet "A. Michaelis"
Gattung: Lithographie, Zeitungsdruck
Material: Papier
Format: unbekannt; Druck 24,5 x 17,3 cm
Vorlage: unbekannt
Besitzer: unbekannt
Literatur: -
Reproduktionen: Illustrierte Zeitung 163(1924) S.345
Anmerkungen: Diese Graphik erschien mit der Bildunterschrift "Nach einer Zeichnung von Artur Michaelis" und zusammen mit einem Gedenkartikel (Anton Bruckner zum 100.Geburtstag) von Max Hayek.

Künstler: W
Darstellung: Brustbild, etwas nach links
Gattung: Zeichnung, Zeitungsdruck
Material: Kohle oder Bleistift auf Papier
Format: unbekannt; Druck 8,5 x 6 cm
Vorlage: Photographie (siehe Nr.70)

Besitzer: unbekannt
Literatur: -
Reproduktionen: Tagespost, Linz 4.9.1924, S.4
Anmerkungen: Das Bild erschien zusammen mit einem kurzen Gedenkartikel und einem Gedicht von Edward Samhaber über Anton Bruckner.

158   **1924**

Künstler: Rudolf Wernicke, Linz
Darstellung: Brustbild, etwas nach links; links unter der Schulter bezeichnet "R W"
Gattung: Zeichnung, Zeitungsdruck
Material: Kohle auf Papier
Format: unbekannt; Druck 8,5 x 6 cm
Vorlage: Photographie (siehe Nr.70)
Besitzer: unbekannt
Literatur: -
Reproduktionen: Österreichische Volkszeitung 9.9.1924, S.7
Anmerkungen: -

159   **1924**

Künstler: unbekannt
Darstellung: Brustbild, Profil nach links
Gattung: Federzeichnung, Zeitungsdruck
Material: Tusche auf Papier
Format: unbekannt; Druck 6,4 x 4,8 cm
Vorlage: Photographie (siehe Nr.36)
Besitzer: unbekannt
Literatur: -
Reproduktionen: Die Woche 19(1924) Nr.37, S.3
Anmerkungen: Diese Zeitschrift erschien als Wochenausgabe zur Reichspost, Wien.

160   **1924**

Künstler: unbekannt
Darstellung: Brustbild, Profil nach links, im Oval in einem im Jugendstil verzierten Rechteck
Gattung: Illustration, Silhouette, Zeitungsdruck
Material: Tusche auf Papier
Format: unbekannt; Druck 7,5 x 5 cm
Vorlage: Photographie (siehe Nr.36)

Besitzer: unbekannt
Literatur: -
Reproduktionen: Musica Divina 12(1924) Nr.3
Anmerkungen: Das Juli-September-Heft der Zeitschrift Musica Divina war eine Bruckner-Sondernummer, für die diese Tusch-Silhouette geschaffen wurde.

Undatierte, vor 1924 einzuordnende Darstellungen

161

Künstler: unbekannt
Darstellung: Büste, Kopf etwas nach links hinaufschauend
Gattung: Vollplastik
Material: Marmor, weißer Stein
Format: ca. 75 x 50 x 35 cm
Vorlage: vielleicht die Totenmaske (siehe Nr.87)
Besitzer: vor Diebstahl Anton Bruckner-Institut Linz
Literatur: Kronenzeitung, Wien 6.10.1981; Wiener Zeitung 10.10.1981; Die Presse, Wien 10./11.10.1981
Reproduktionen: in allen genannten Zeitungen; Kongreßbericht zum V.Internationalen Gewandhaus-Symposion: Anton Bruckner - Leben, Werk, Interpretation, Rezeption, anläßlich der Gewandhaus-Festtage 1987, Leipzig 9.-11.Oktober 1987 (Dokumente zur Gewandhausgeschichte 7). Hrsg. Steffen Lieberwirth. Leipzig 1988, S.177
Anmerkungen: Diese Büste, deren Kopf aus dem Schulterteil herausgenommen werden konnte, wurde 1981 vom Anton Bruckner-Institut Linz aus Privatbesitz erworben. Meister und Entstehungszeit sind unbekannt. Der frühere Besitzer erhielt sie von einem Freund einzig mit der Angabe, daß der Dargestellte Anton Bruckner sei. Nach dem Ankauf durch das Anton Bruckner-Institut Linz wurde die Büste in der Aula der Österreichischen Akademie der Wissenschaften vorübergehend aufgestellt, um dort von Fachleuten begutachtet zu werden, wurde jedoch schon vorher gestohlen. - Die oben angegebenen Literaturzitate betreffen jeweils Meldungen über den Diebstahl.

162 a,b

Künstler: Carl Kauba, Wien
Darstellung: Büste, Kopf etwas nach links; rechts unten am Fuß des Sockels bezeichnet "C. Kauba"
Gattung: Vollplastik
Material: Bronze, feuervergoldet

Format: 24 x 17 x 8 cm; Sockel 13,8 x 8,2 cm
Vorlage: unbekannt
Besitzer: Anton Bruckner-Institut Linz
Literatur: angeblich Harold Berman, Bronces. Chicago: Abage Verlag (konnte noch nicht verifiziert werden)
Reproduktionen: -
Anmerkungen: Leider konnten auch bei der bis vor kurzem in Familienbesitz befindlichen, noch heute existierenden Firma "Wiener Bronzen", für die der Bildhauer Kauba gearbeitet hatte, keine Daten in Erfahrung gebracht werden. Es wurde allerdings mitgeteilt, daß Aufträge an freischaffende Künstler erteilt worden seien, von denen Kauba einer der bekanntesten und meistbeschäftigten und besonders auf die (wegen der dabei auftretenden giftigen Dämpfe heute nicht mehr durchgeführte) Feuervergoldung spezialisiert gewesen sei, und daß der Firmeneigentümer an der Gestaltung der Kunstwerke durch strenge Kritik und Korrektur jeweils mitgewirkt habe. - Von einem auf "Wiener Bronzen" spezialisierten Wiener Antiquar kam der Hinweis auf die angegebene Literatur.

163

Künstler: unbekannt
Darstellung: Büste, Kopf etwas nach links
Gattung: Vollplastik
Material: Gips
Format: 67 x 67 x 25 cm
Vorlage: unbekannt
Besitzer: Pfarramt Stift Ardagger, Amstetten
Literatur: -
Reproduktionen: -
Anmerkungen: Die Büste gehörte dem am 3.5.1985 verstorbenen Pfarrer Josef Bilas. - Der Sockel ist rechts beschädigt; vielleicht stand dort ein Hinweis auf Künstler oder Entstehungsjahr.

164

Künstler: Franz (?) Staudigl und R. Lunardi, Wien
Darstellung: Büste, Kopf etwas nach rechts; rechts hinten bezeichnet "Staudigl, Lunardi"
Gattung: Vollplastik
Material: Gips
Format: 56 x 35 x 17 cm
Vorlage: unbekannt
Besitzer: Gesellschaft der Musikfreunde, Archiv, Wien (aus dem Nachlaß Karl Pfannhauser)

Literatur: -
Reproduktionen: -
Anmerkungen: Der Hintergrund der während einer Ausstellung entstandenen Photographie zeigt eine gemalte Darstellung des Großen Saales im Wiener Musikvereinsgebäude.

165

Künstler: unbekannt
Darstellung: Büste, Kopf etwas nach links
Gattung: Kleinplastik
Material: Gips, mit Goldfarbe gestrichen
Format: 23 x 14 x 7,5 cm
Vorlage: unbekannt
Besitzer: Alois Quass, Windhaag
Literatur: -
Reproduktionen: -
Anmerkungen: Der Besitzer bewohnt das Alte Schulhaus in Windhaag, wo Bruckner seine erste Dienststelle innehatte.

166

Künstler: Franz Plany, Linz
Darstellung: Kopf, Profil nach links, darunter Umschrift "ANTON BRUCK-NER"; rechts am Hinterkopf bezeichnet "F P."
Gattung: Medaille
Material: Bronze, Metall
Format: 6,4 cm
Vorlage: Photographie (siehe Nr.36)
Besitzer: Oberösterreichisches Landesmuseum, Linz
Literatur: Niggl Nr.433
Reproduktionen: -
Anmerkungen: -

167

Künstler: Max und Franz Zacher (Guß) nach Karl Scheidl (Graphik), Linz ?
Darstellung: Kopf, Profil nach links, auf eine mit Samt überzogene Platte montiert und gerahmt
Gattung: Guß
Material: Zinn
Format: Rahmen 18 x 15 cm
Vorlage: Graphik von Karl Scheidl

Besitzer: Stadtmuseum Linz Nordico Inv.Nr. P 953
Literatur: -
Reproduktionen: -
Anmerkungen: Max Zacher war der Vater, Franz der Sohn, der das Modell nachgegossen hat.

168

Künstler: Franz Antoine, Wien
Darstellung: Brustbild, Profil nach links; im unteren Drittel links bezeichnet "Fr. Antoine"
Gattung: Gemälde
Material: Ölfarben auf Leinwand
Format: 55 x 45 cm
Vorlage: vielleicht Photographie (siehe Nr.36)
Besitzer: Anton Bruckner-Institut Linz
Literatur: -
Reproduktionen: -
Anmerkungen: Das Anton Bruckner-Institut Linz konnte das Bild 1986 aus Wiener Privatbesitz erwerben, aber leider keine näheren Informationen zur Entstehung des Gemäldes erhalten. - Zu beachten ist die große Ähnlichkeit mit dem Gemälde in der Direktion der Gesellschaft der Musikfreunde in Wien (siehe Nr.88).

169

Künstler: Leo Bernhard Eichhorn, Wien
Darstellung: Brustbild, etwas nach links; rechts unten bezeichnet "Eichhorn"
Gattung: Gemälde
Material: Ölfarben auf Leinwand
Format: 28 x 18 cm
Vorlage: Photographie (siehe Nr.70)
Besitzer: Postkarten-Verlag Brüder Kohn, Wien
Literatur: -
Reproduktionen: Postkarte "Nr.874-15 B. K. W. 1."
Anmerkungen: Möglicherweise ist das Bild für die Herstellung einer Postkarte zur Jahrhundertfeier von Bruckners Geburtstag oder früher gemalt worden. Leider gibt es beim noch heute bestehenden Verlag keine Unterlagen mehr aus dieser Zeit, die eine genaue Datierung ermöglichen könnten. - Die Postkarte ist im Nachdruck weiterhin erhältlich.

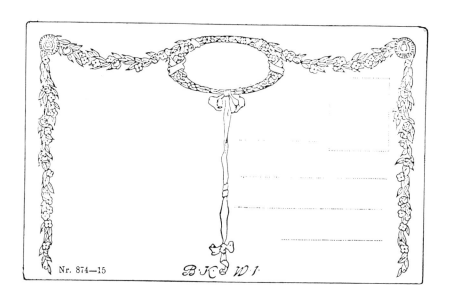

Nr. 874—15

170

Künstler: Otto Robert Nowak, Wien
Darstellung: ganze Figur, an einer Orgel sitzend, von rechts hinten gesehen, Profil nach rechts; in einem Kirchenraum mit einer an einem Pfeiler lehnenden Zuhörerin
Gattung: Gemälde
Material: Ölfarben auf Leinwand
Format: 97 x 89 cm
Vorlage: unbekannt
Besitzer: unbekannt
Literatur: Auktionskatalog des Wiener Dorotheums von der 441. Kunstversteigerung 13.-16.2.1979. Wien 1979, Nr.1.104
Reproduktionen: ebenda Taf.18 (Photo E. Jekel)
Anmerkungen: Leider konnte der heutige Besitzer dieses Gemäldes nicht ermittelt werden.

171

Künstler: F. Baiersinger ?, Wien ?
Darstellung: ganze Figur, an der Orgel der Wiener Hofkapelle sitzend, etwas nach rechts; rechts unten bezeichnet "F. Baiersinger [?]"
Gattung: Aquarell ?
Material: Farben auf Papier

214

Format: unbekannt; Postkarte 14,3 x 9,3 cm
Vorlage: unbekannt
Besitzer: unbekannt; Postkarte Anton Bruckner-Institut Linz
Literatur: -
Reproduktionen: Postkarte "Bund der Deutschen in Nied.Oest. Geschäfts-
stelle: Wien, 7/1, Mariahilferstr.98." in einer Serie als "Karte Nr.150"
Anmerkungen: -

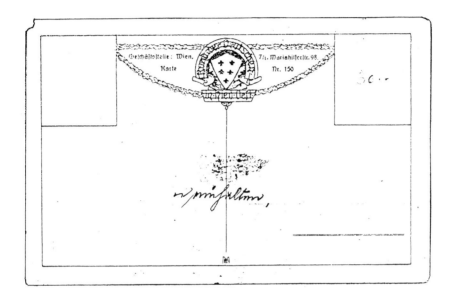

172

Künstler: Karl Kahler, Linz
Darstellung: Brustbild, von hinten gesehen, Profil nach rechts
Gattung: Zeichnung, Skizze in Skizzenbuch
Material: Bleistift auf Papier
Format: Skizzenbuch 18,5 x 12 cm
Vorlage: vielleicht Büste (siehe Nr.55), etwas übersteigert dargestellt, oder
die Totenmaske (siehe Nr.87)
Besitzer: Stadmuseum Linz Nordico Inv.Nr. 1.248
Literatur: -
Reproduktionen: Kunstjahrbuch der Stadt Linz 1961, S.67
Anmerkungen: Die Darstellung erinnert an die gestohlene Bruckner-Büste
des Anton Bruckner-Institutes Linz (siehe Nr.161) und ist im Skizzenbuch
mit "Dr Bruckner" gekennzeichnet.

173

Künstler: Konrad Immanuel Böhringer, Dresden
Darstellung: Kopf, Halbprofil nach rechts; links unten bezeichnet (im Rechteck) "KIB"
Gattung: Zeichnung; Lithographie oder Photogravure
Material: Kreide oder weicher Bleistift auf Papier
Format: unbekannt; Druck Bildgröße 36 x 27 cm, Blattgröße 51,5 x37 cm
Vorlage: Photographie (siehe Nr.17)
Besitzer: Anton Bruckner-Institut Linz; Wiener Männergesang-Verein
Literatur: -
Reproduktionen: Druck "Franz Hanfstaengl, München" mit der Bezeichnung "P K 436"; Gräflinger 1927, Taf.8
Anmerkungen: Diese Graphik der Firma Hanfstaengl wurde noch in jüngster Zeit nachgedruckt und ist im Musikalienhandel erhältlich.

174

Künstler: CE. oder EC.
Darstellung: Brustbild, Profil nach rechts; links unter dem Schulterabschnitt bezeichnet "E [in] C."
Gattung: Scherenschnitt; Druck
Material: Papier
Format: unbekannt; Druck Bildgröße (mit Schrift) 7,5 x 3,5 cm, Blattgröße 18,5 x 13 cm
Vorlage: unbekannt
Besitzer: unbekannt; Druck Anton Bruckner-Institut Linz
Literatur: -
Reproduktionen: Druck
Anmerkungen: Dieser Druck ohne weiteren Druckvermerk wurde auf dem Wiener Flohmarkt mit anderen aus dieser Serie (Robert Schumann, Joseph Lanner) erworben.

175

Künstler: Alfred Cossmann, Wien
Darstellung: Brustbild, Profil nach rechts, mit Orgelpfeifen, in einem oben und unten verzierten Oval, unten eine Tafel "Anton Bruckner 1824-1896"; rechts unten bezeichnet "Alf Coßmann"
Gattung: Radierung
Material: Papier
Format: Bildgröße 16 x 8,5 cm
Vorlage: Büste (siehe Nr.55)
Besitzer: Anton Bruckner-Institut Linz

Literatur: -

Reproduktionen: Bruckner-Blätter 1(1929) bis 7(1935); Cossmann Taf.9, Abb.2; Ausschnitt Kunstkalendarium 6/7/80. Brucknerhaus Linz. Linz 1980, Titelblatt

Anmerkungen: Diese Radierung könnte als Gedenkblatt 1924 erschienen sein. - Die Darstellung im Oval ist sehr ähnlich - wenn auch nicht identisch - dem Exlibris für Karl Andorfer (siehe Nr.123). - Die Reproduktionen in den Bruckner-Blättern sind jeweils stark verkleinert als Emblem erschienen, in den ersten zwei Jahrgängen auf jeder einzelnen Nummer, in den weiteren zu Ankündigungen von Bruckner-Festen und -Feiern.

176 (ohne Bild)

Künstler: Josef Diltsch, Steyr
Darstellung: "Bruckner-Porträt"
Gattung: Radierung
Material: Papier
Format: unbekannt
Vorlage: unbekannt
Besitzer: unbekannt
Literatur: Steyrer Zeitung 5.3.1931, S.4, Nr.28
Reproduktionen: unbekannt
Anmerkungen: In der oben zitierten Literatur, einem Nachruf auf den Künstler, fand sich der Hinweis auf eine "wirklich meisterhafte" Radierung eines "Bruckner-Porträts". Das Bild selbst konnte bisher leider noch nicht nachgewiesen werden.

177

Künstler: Jakob Groh, Wien
Darstellung: Brustbild, von vorne; rechts unten bezeichnet "J. Groh", unterhalb des Bildfeldes in der Mitte "RADIRT VON JACOB GROH", "Verlag von V. A. Heck in Wien", links "Deposé", rechts "Druck v. L. Pisani"
Gattung: Radierung
Material: Papier
Format: Plattenrand 48 x 35 cm
Vorlage: Photographie (siehe Nr.70)
Besitzer: Anton Bruckner-Institut Linz; Historisches Museum der Stadt Wien I.N. 56.700
Literatur: -
Reproduktionen: -
Anmerkungen: Das Exemplar im Anton Bruckner-Institut Linz wurde beim Verlag V. A. Heck erworben. - Das Exemplar im Historischen Museum der Stadt Wien zeigt unter dem Bild eine Notenzeile mit dem Anfangsthema der Dritten Symphonie Bruckners (mit verkehrtem Schlüssel!) und die Signierung durch den Künstler.

178

Künstler: Karl Hayd, Linz
Darstellung: Brustbild, Profil nach links, mit faksimilierter Unterschrift Bruckners; rechts unter der Schulter bezeichnet "Karl Hayd"
Gattung: Federzeichnung; Postkarte
Material: Papier
Format: unbekannt; Postkarte 15 x 10 cm, Bildgröße 12,5 x 9 cm
Vorlage: Photographie (siehe Nr.36) oder ein Gemälde, das Bruckner im Profil darstellt
Besitzer: unbekannt; Postkarte Österreichische Nationalbibliothek, Porträtsammlung und Bildarchiv, Wien, Sign. Pf 373:C (5); NB 523.858
Literatur: -
Reproduktionen: Postkarte "Verlag Stiftsbuchhandlung St. Florian"
Anmerkungen: Auf der Rückseite der Postkarte ist außer der Verlagsangabe vermerkt "Anton Bruckner, Federzeichnung von Karl Hayd".

179

Künstler: Karl Reisenbichler ?
Darstellung: Brustbild
Gattung: Radierung ?
Material: Papier
Format: unbekannt; Reproduktion 11,5 x 8,4 cm
Vorlage: Photographie (siehe Nr.70)
Besitzer: unbekannt
Literatur: -
Reproduktionen: Gräflinger 1927, Taf.13
Anmerkungen: Laut Gräflinger erschien diese Graphik in der Zeitschrift Die Musik, eine Abbildung dort konnte jedoch nicht gefunden werden.

180

Künstler: Leopold Theyerer oder Steiner (unleserlich)
Darstellung: ganze Figur, an einer Orgel sitzend, Profil nach rechts, daneben Säulen und andere Architekturandeutungen, darüber Engel; rechts unten bezeichnet "Leopold ..." (unleserlich)
Gattung: Radierung
Material: Papier
Format: Bildgröße und Prägerand 27,5 x 18 cm; Blattgröße 48 x 32,5 cm
Vorlage: unbekannt
Besitzer: Gesellschaft der Musikfreunde, Archiv, Wien
Literatur: -
Reproduktionen: -
Anmerkungen: -

181

Künstler: H. Varges, Berlin ?
Darstellung: Brustbild, etwas nach links
Gattung: Zeichnung
Material: Bleistift auf Papier
Format: unbekannt; Druck 16,5 x 14,6 cm
Vorlage: Photographie (siehe Nr.70)
Besitzer: unbekannt; Reproduktion Privatbesitz
Literatur: -
Reproduktionen: "Werckmeisters Kunstverlag, Berlin W 8, Nr.39"
Anmerkungen: Dieser Druck könnte auch nach 1924 oder sogar noch viel
später als 1924 entstanden sein. Es gab vielleicht eine Serie mehrerer ähnli-
cher Komponistenporträts (getreue Porträtwiedergabe, alles übrige nur in
Umrissen); eines von Hugo Wolf ist mir bekannt.

182 a,b

Künstler: August Steininger, Wien
Darstellung: Brustbild, etwas nach links, im rechten Oval, im linken Oval
Franz Grillparzer, dazwischen eine Elfe, die ein Buch hält, alles über einem
Landschaftsbild in verzierter Umrahmung; rechts unten bezeichnet "A.
Steininger Fec."
Gattung: Radierung, Exlibris
Material: Papier
Format: Oval mit Bruckner 2 x 1,7 cm; Prägerand 12,5 x 7 cm; Blattgröße
17,5 x 11 cm
Vorlage: Photographie (siehe Nr.70)
Besitzer: unbekannt; Photographie Anton Bruckner-Institut Linz
Literatur: -
Reproduktionen: -
Anmerkungen: Die Verzierung unterhalb des Landschaftsbildes trägt im
Quer-Oval die Aufschrift "EX-LIBRIS Doctor Heinrich Krükl.".

183

Künstler: Fe
Darstellung: Kopf, Profil nach links; unter dem Kragen bezeichnet "Fe"
Gattung: Zeichnung
Material: Kohle auf Papier
Format: unbekannt; Reproduktion (Léon-Decsey) 11,3 x 8,1 cm
Vorlage: vielleicht Photographie (siehe Nr.36)
Besitzer: unbekannt
Literatur: -

Reproduktionen: Victor Léon - Ernst Decsey, Der Musikant Gottes (Tagblatt-Bibliothek 107/108). Wien 1924, S.3; Neues Wiener Tagblatt 4.9.1924, S.5; Völkischer Beobachter 30.6.1938

Anmerkungen: Die Reproduktion im Neuen Wiener Tagblatt erschien zusammen mit einem Gedenkartikel, die im Völkischen Beobachter mit dem Artikel von Leopold Materna, Meine Erinnerungen an Anton Bruckner.

184

Künstler: Theodor Zasche, Wien
Darstellung: ganze Figur, stark nach rechts, Bruckner entreißt seine "IX. Symphonie" der "Kritik", dargestellt als Drache; rechts unten bezeichnet "Th. ZASCHE"
Gattung: Zeichnung, Karikatur
Material: Bleistift auf Papier
Format: unbekannt; Reproduktion 7,5 x 8 cm
Vorlage: vielleicht Photographie (siehe Nr.18)
Besitzer: unbekannt
Literatur: -
Reproduktionen: Göll.-A. 4/3, nach S.496
Anmerkungen: Bei Göll.-A. ist der Künstler fälschlich als "Th. Rasche" angegeben.

185

Künstler: Theodor Zasche, Wien
Darstellung: Bruckner (rechts außen; Halbfigur, etwas nach links), zusammen mit zehn weiteren Komponisten dem als Dirigent auf einer (Erd-?) Kugel stehenden Johann Strauß und elf musizierenden Engeln zusehend, mit Bildunterschrift "Strauß-Konzert im Himmel"; rechts unten bezeichnet "Th. ZASCHE"
Gattung: Zeichnung, Karikatur
Material: Tusche auf Papier, Druck
Format: unbekannt; Druck 10,5 x 9,5 cm
Vorlage: aus dem Gedächtnis?
Besitzer: unbekannt
Literatur: -
Reproduktionen: Siegfried Loewy, Rund um Johann Strauß. Wien o.J., S.149
Anmerkungen: Die zuhörenden Komponisten sind (jeweils von links nach rechts) in der ersten Reihe Wolfgang Amadeus Mozart, Ludwig van Beethoven, Franz Schubert und Richard Wagner, in der zweiten Reihe Joseph Haydn, Joseph Lanner, Johann Strauß Vater, Jacques Offenbach, Johannes Brahms, Giuseppe Verdi und Anton Bruckner.

186 a,b

Des Bildhauer Franz S. Forster berichtet in seinem Aufatz "Wie die Bruckner-Büste für das Geburtshaus in Ansfelden entstand" (IBG Mitteilungsblatt 1972, Nr.3):

Es war im Oktober 1921, noch in meiner Studienzeit an der Akademie in Wien. Während der Ferien war ich in Riedau und arbeitete dort mit meinem Freund Furthner zusammen, um ein wenig zu verdienen und das Studium fortsetzen zu können. Nun war ich für wenige Tage daheim im Elternhaus in St. Florian. Da fügte es sich, daß anläßlich des 25. Todestages Anton Bruckners dessen Sarkophag, meines Wissens zum ersten Mal, geöffnet wurde und ich dabei sein konnte. Wer außer dem damaligen Regenschori Prof. Franz X. Müller noch anwesend war, kann ich heute nicht mehr sagen. Es war ein äußerst feierlicher Augenblick. Ich sah nun, freilich nur durch das Glas, den ganzen Leichnam, noch gut erhalten und kaum verfärbt, deutlich vor mir. Der Anblick hat mich so fasziniert und so gefangen genommen, daß ich unter diesem Eindruck es fast als Auftrag oder Befehl empfand, sofort an die plastische Gestaltung eines entsprechenden Porträts zu denken. Und noch am Sarkophag stehend, war ich fest entschlossen, diesen Gedanken in die Tat umzusetzen.

Es wurde die erste Bruckner-Büste von Franz S. Forster, fertiggestellt im Jahre 1923 (siehe Nr.143 b), die jetzt im Bruckner-Konservatorium in Linz steht. - Die Original-Photographien von einer Sargöffnung befinden sich im Oberösterreichischen Landesmuseum, Linz, und wurden uns freundlicherweise zur Verfügung gestellt.

Verzeichnis der Künstler und Photographen
(Angeführt sind die Nummern der Abbildungen)

Allmayer, Hans 113-116
Ursprünglich Tapezierer, später Modezeichner und Maler; fertigte u. a. im
Griechenbeisl und im Café Siller in Wien gegen Bezahlung Scherenschnitte
an. Vater von Josefine Allmayer (1904-1977), die das älteste seiner sechs
Kindern war. Als er arbeitslos wurde, konnte Josefine durch ihre Scheren-
schnitte die Familie erhalten, aber ihr Vater lieferte lange Zeit die Entwür-
fe.
Lit.: ÖKL (Josefine!); Erwin Nagl, Die Scherenschnittkünstlerin Josefine
Allmayer, in: Amtsblatt der Stadtgemeinde Klosterneuburg, Kulturbeilage
1986, Nr.7

Angerer & Goeschl 10, 12
Angerer, Carl (1838-1916 Wien) Reprotechniker, Industrieller, Buchdruk-
ker; ab 1856 bei Hof- und Staatsdruckerei, ab 1859 als Zeichner, Lithograph
und Kupferstecher beim Militärgeographischen Institut, 1871 Gründung der
Chemigraphisch-artistischen Anstalt. 1892 wurde sein Sohn Alexander C.
(1869-1950) Teilhaber dieser Firma, der dann 1924-1938 Präsident der Photographischen Gesellschaft und Besitzer einer der bedeutendsten Klischee-
anstalten für Buchdrucker in Europa war.
Lit.: Hochreiter

Antoine, Franz 27, 38, 88, 168
(* 27.1.1864 Wien, + 17.4.1935 Wien) Maler; studierte an der Wiener Akademie der bildenden Künste bei Christian Griepenkerl sowie in München
und Paris; war 1878 Privatschüler Anton Bruckners (Notiz in dessen Taschenkalender). Er malte Porträts und Landschaften und war seit 1897 Re-
staurator am Kunsthistorischen Museum in Wien. Er besaß und leitete dort
auch eine Privatmalschule.
Lit.: ÖKL

Baiersinger, F. (?) 171
Maler.

Bauer, Louis 9
K.k. Hofphotograph; 1880 Wien 1, Mölkerbastei Nr.20; Wien 9, Währingerstraße Nr.46; auch Wanderphotograph (Auskunft Schöny).

Bératon, Ferry (Franz Peratoner) 28, 32, 59, 86
(* 1860 Wien, + Jan. 1900 Venedig) nach Versuchen als Schauspieler, Me-
dizinstudent und Kaufmann später Maler, auch Bildhauer und Dichter (Dra-

matiker); sein Stück Wiener Sitte wurde im Wiener Raimundtheater aufgeführt. Studien in Wien bei Hans Canon, in Venedig und Paris. Er lebte in Wien, malte Genrebilder und porträtierte Künstler.
Lit.: ÖKL

Böhler, Otto 41-54, 60 ff., 68, 78 f., 94, 101 ff., 108, 110
(* 11.11.1847 Frankfurt/M., + 5.4.1913 Wien) war der Leiter der Böhler-Stahlwerke in Wien, ab 1874 Malschüler von W. Ottokar Noltsch in Wien, schuf aber bald vor allem Silhouetten und Scherenschnitte aus dem Wiener Musikleben. Er lernte Richard Wagner 1876 in Bayreuth und Bruckner auch um diese Zeit in Wien kennen.
Lit.: ÖKL; Rudolf Louis, Anton Bruckner. München 1905, S.144

Böhringer, Konrad Immanuel (KIB) 173
(* 7.3.1863 Grimma, Sachsen, + Dresden) besuchte die Akademie in Dresden 1881-1888, in München 1888-1890 und die Meisterschule von Leon Pohle in Dresden.
Lit.: Franz Goldstein, Monogramm-Lexikon. Berlin 1964, S.441

Büche, Josef 66
(* 29.2.1848 Wien, + 13.8.1917 Linz/Urfahr) Maler; 1861-1866 Studium an der Wiener Akademie der bildenden Künste bei Eduard v. Engerth und Carl Wurzinger; ab 1883 Mitglied des Wiener Künstlerhauses, lebte auch in Meran. Er malte Bildnisse von Angehörigen des Kaiserhauses und hervorragenden Persönlichkeiten der Monarchie. Ausstellungen in München, Berlin, Dresden, Salzburg, Budapest, Prag und Linz.
Lit.: ÖBL; ÖKL

CE oder EC 174
Hersteller von Scherenschnitten.

Cossmann, Alfred 99 f., 120-123, 125, 175
(* 2.10.1870 Graz, + 31.3.1951 Wien) Graphiker; studierte in Wien an der Kunstgewerbeschule bei Karl Karger und Franz Matsch, 1895-1899 an der Akademie der bildenden Künste bei William Unger. 1903-1905 Mitglied des Wiener Hagenbundes; Ehrenmitglied der Wiener Akademie der bildenden Künste und der Österreichischen Exlibrisgesellschaft. 1920-1931 war er Lehrer an der Graphischen Lehr- und Versuchsanstalt in Wien.
Lit.: ÖKL; Th-B; Cossmann; Josef Reisinger, Werkverzeichnis A. Coßmann. Wien 1954; Zamazal S.25 ff.

Diltsch, Josef 176
(* 4.2.1863 Scheibbs, + März 1931 Steyr) Lithograph und Maler; Sohn eines Kupferschmieds, kam mit vier Jahren nach Steyr, seit 1876 Lehrling für Lithographie an der dortigen Emil Prietzel'schen Buch- und Steindruckerei, begann 1881 ein Studium an der Akademie der bildenden Künste in Wien,

das er wegen finanzieller Schwierigkeiten abbrach. Bis 1896 war er in Wien Lithograph bei Waldheim-Eberle und G. Freytag, danach in Steyr (zwei Jahre in der Buchdruckerei Haas). Dann selbständiger Maler, gestaltete er "wirklich meisterhafte Werke" (Porträts von Werndl, Graf Lamberg, Bruckner u.a.). Ehrenmitglied der Liedertafel Steyr.
Lit.: Nachruf in Steyrer Zeitung 5.3.1931

Ebeling, Heinrich 11
(* 1838 Klosterneuburg ?, + 1902 Neulengbach ?) Maler; Sohn des Malers Franz Ebeling (1804-1894), heiratete am 13.1.1872 in Wien und lebte zuletzt in Neulengbach (Auskunft Schöny).

Ehrbar, Fritz 82 ff.
(* 4.3.1873 Wien, + 1.2.1921 Wien) Klavierfabrikant, Amateur-Photograph; 1879 Wien 4, Mühlgasse Nr.6; 1886 Wien 8, Josefstädterstraße Nr.23; 1925 Wien 4, Preßgasse Nr.28.
Lit.: ÖBL

Eichhorn, Leo Bernhard 169
(* 13.2.1872 Lemberg, + ?) Maler; lebte 1902 in Wien 9, Berggasse Nr.39; bis 1924 Wien 9, Frankgasse Nr.4; Atelier Wien 1, Graben; Schüler der Wiener Akademie der bildenden Künste, tätig in Wien und Galizien; malte vor allem Szenen der ländlichen Bevölkerung Galiziens. Er war in Ausstellungen im Wiener Künstlerhaus vertreten.
Lit.: Th-B

Fe 183
Graphiker.

Fenz (nicht Fenzl), Rudolf 89
(* 23.9.1876 Wien, + 1908) Graphiker, Journalzeichner, 1889 Lithograph (Auskunft Schöny).

Forster, Franz Seraph 143
(* 25.5.1896 St. Florian) Bildhauer; besuchte nach der Holzfachschule in Hallstatt die Akademie der bildenden Künste in Wien, war Schüler von Edmund v. Hellmer und Josef Müllner. Er lebt seit 1924 bis heute (1990) in St. Florian.
Lit.: Vollmer; Dr. Nikolussi, An der Wiege des Hessendenkmales. Ein Besuch im Künstlerheim des akad. Bildhauers Franz Forster, in: Linzer Volksblatt, Heimatland Nr.37 vom 9.9.1928; Carl Watzinger, Der Bildhauer Franz Forster - St.Florian, in: Steyrer Zeitung Nr.143 vom 3.12.1935; Fritz Feichtinger, Bruckner & Forster. Die Brucknerbüsten von Franz S. Forster, St. Florian, in: Oberösterreichische Heimatblätter 41(1987) H.4, S.354-360; Retrospektivausstellung Professor Franz Forster. Stift St. Florian 4. bis 21.Juni 1981. 31 S. (darin weitere Literaturangaben)

Gertinger, Julius 82
(1834-1882) zunächst Pharmazeut, dann Photograph; 1862 erstes Atelier mit J. Székely Wien 4, Margarethenstraße Nr.28; ab 1863 Alleininhaber; 1874 Hoftitel; das Atelier wurde nach seinem Tod von seiner Frau Juliana weitergeführt.
Lit.: Hochreiter

Grandé, Ludwig 13-16, 26
(* 1865 Teltsch, + ?) Schüler Bruckners am Konservatorium der Gesellschaft der Musikfreunde in Wien (Harmonielehre, Kontrapunkt und Orgel); er scheint in den Jahresberichten dieses Konservatoriums 1882/83-1885/86 auf.

Grath, Anton 130
(* 18.10.1881 Wien, + 10.4.1956 Wien) Medailleur, Bildhauer; studierte an der Wiener Akademie der bildenden Künste bei Anton Brenek, Edmund v. Hellmer und Hans Bitterlich; Meisterklasse bei Carl Kundmann und Rudolf Marschall; er schuf Medaillen und Reliefs an Musikergedenkstätten (Beethoven, Schubert, Wagner) in Wien.
Lit.: Vollmer; ÖL

Grengg, Maria 145
(* 26.2.1889 Stein a.d.Donau, + 2.10.1963 Wien-Rodaun) Schriftstellerin, Illustratorin; besuchte die Kunstgewerbeschule in Wien, schrieb volkstümliche Romane, Novellen, Märchen und Kinderbücher, die sie selbst illustrierte.
Lit.: Meyers Handbuch über die Literatur. 2.Aufl. Mannheim 1970.

Grillich, Ludwig 39 f.
(* 2.12.1856 Wien, + 1913 ?) Photograph; seit 1885 erstes Atelier, 1886 Wien 17, Währinger Hauptstraße Nr.17 und Franzensbad, Salzquellenallee; 1912 Wien 17, Währingerstraße Nr.91; 1888 schwedischer und 1890 russischer Hoftitel.
Lit.: Hochreiter

Gröber, Heinrich 24
(* 10.3.1850 Innsbruck, + 29.9.1934 Wien) Karikaturist, Oberfinanzrat, Dr. jur.; 1886 Wien 4, Preßgasse Nr.28; 1912 Wien 18, Haizingergasse Nr.17 (Auskunft Schöny).

Groh, Jakob 177
(* 14.5.1855 Rumburg, Böhmen, + 17.2.1917 Wien) Radierer und Porträtzeichner; Schüler der Wiener Kunstgewerbeschule sowie Ferdinand Laufbergers, Josef Storks und William Ungers.
Lit.: ÖBL

Gsur, Karl Friedrich 144.
(* 3.7.1871 Wien, + 25.8.1939 Wien) Maler; Sohn eines Graveurs, studierte an der Wiener Akademie der bildenden Künste unter Christian Griepenkerl und Christian Leopold Müller, bereiste 1896 Deutschland, Frankreich, England, Holland und Tunis; seit 1898 in Wien; Schubertporträt im Wiener Männergesang-Verein.
Lit.: Th-B; ÖBL

Haberl, Josef 87
(* 1863 Wien, + ?) akad. Bildhauer; Schüler von Hugo Haertl, Mitarbeiter von Anselm Zinsler (siehe dort), Gipsgießer; 1904 "Atelier für künstlerische Grabdenkmale und Porträts" Josef Haberl & K. Anselm Zinsler, Wien 19, Döblinger Hauptstraße Nr.1; 1924 Wien 12, Singrienergasse Nr.9.
Lit.: Eisenberg; Todtenmaske Anton Bruckners, abgenommen von den Bildhauern Haberl und Zinsler, in: Neue musikalische Rundschau 1(1896/97) S.117

Hanfstaengl, Franz 17 f., 117
(* 1.3.1804 Bayernrain, Oberbayern, + 18.4.1877 München) Lithograph, Königlich-Preußischer Hofphotograph; kam 1816 nach München in die Zeichenschule und lithographische Anstalt von Hermann Josef Mitterer, besuchte die Akademie von 1819 bis 1825 und wandte sich dann wieder der Lithographie zu. Er gründete 1848 die Anstalt für Galvanographie und 1853 ein Atelier für Photographie, das sein Sohn Edgar 1863 übernahm.
Lit.: Meyers Konversationslexikon. 5.Aufl. Leipzig-Wien 1896

Hartig, Arnold 151 ff.
(* 12.8.1878 Brand b. Tannwald, Böhmen, + 2.2.1972 Purkersdorf) Medailleur; besuchte in Gablonz die Kunstgewerbliche Fachschule und studierte an der Wiener Kunstgewerbeschule bei Stefan Schwartz; seit 1903 war er freischaffender Künstler, seit 1908 Mitglied des Wiener Künstlerhauses.
Lit.: Th-B; ÖL; Arnold Hartig, Aus meinem Leben. Vom Bauernjungen zum künstlerischen Erlebnisse mit porträtierten Persönlichkeiten. Wien 1964.

Hayd, Karl 137, 155, 178
(* 8.2.1882 Hainburg, + 14.10.1945 Linz) Maler; Porträtist, malte aber auch Stilleben und Landschaften, Kriegsmaler; Ausbildung an der Wiener Akademie der bildenden Künste bei Christian Griepenkerl, Alois Delug und William Unger, studierte auch in Prag. Absolvent der Staatsgewerbeschule für Bauwesen; Ausstellungen im Haus der Deutschen Kunst, München, in Linz etc.; Werke von ihm gibt es im Linzer Hessenmuseum, im Tiroler Kaiserschützen-Museum, im Ferdinandeum Innsbruck, im Heeresgeschichtlichen Museum in Wien, im Oberösterreichischen Landesmuseum und im Stadtmuseum Linz Nordico.
Lit.: ÖBL; ÖL; Fritz Feichtinger, Der Maler Karl Hayd (1882-1945). Linz 1982

Hedley, Percival M. 77
(* 1870, + 29.7.1932) englischer Bildhauer; studierte an der Akademie der bildenden Künste in Wien, befaßte sich mit der Gestaltung von Schmuck an Gebäuden und nahm am Wettbewerb um das Wiener Goethe-Denkmal teil; ab 1890 schuf er Schauspieler- und Komponisten-Plastiken und -Porträts. Er war ein Freund von Johannes Brahms.
Lit.: Th-B

Herrmann, Rudolf 132
(* 29.12.1886 Wien, + 5.5.1965 Wien) Zeichner (auch Karikaturen) und Radierer (Auskunft Schöny).

Hofmeister, Carl 20
(* 1865, + ca. 1927) Musiker; Brucknerschüler, 1901 Konzertmeister am Deutschen Volkstheater, 1912 Musiklehrer in Wien (Auskunft Schöny).

Huber, Anton Paul 22, 36 f., 63 ff.
(* 27.10.1852 Deutschkreutz, + 9.2.1936 Groß-Stelzendorf) Photograph; 1899 Hofphotograph, 1908 Kammerphotograph; Atelier 1881 Wien 1, Goldschmiedgasse Nr.4; dazu 1890 Wien 4, Margarethenstraße Nr.36; dazu 1893 Wien 1, Singerstraße Nr.1 (Stock im Eisen-Platz). Er spezialisierte sich auf militärische Veranstaltungen und war später Sport- und Pressephotograph; laut Aufdruck auf der Rückseite seiner Photographien "prämiirt mit 10 Medaillen".
Lit.: Hochreiter

Jerie, W. 7
Photograph; Photographisches Atelier in Marienbad, "am Kreuzberg, nächst dem alten Badehause".

Junk, Rudolf 142
(* 23.2.1880 Wien, + 20.12.1943 Rekawinkel) Maler und Graphiker; studierte an der Wiener Universität Germanistik und keltische Sprachen, 1903 Dr. phil.; seit 1904 Mitglied des Wiener Hagenbundes; malte Landschaften in Öl und Pastell, seit 1906 Buchgestaltung, Farbholzschnitte, Wertpapiere, Stempelmarken und Briefmarken. 1924 wurde er Direktor der Wiener Graphischen Lehr- und Versuchsanstalt.
Lit.: ÖBL

Kahler, Karl 172
(* 12.9.1856 Linz, + 18.4.1906 San Francisco, USA, bei Erdbeben) Genre- und Historienmaler, Graphiker; malte im Makartstil; 1875 Studium an der Akademie in München, wo er sich auch nach einem Studienaufenthalt in Paris niederließ. Ausstellungen in Berlin und Wien; ging 1885 nach Australien und arbeitete bis 1890 in Melbourne.
Lit.: Th-B; ÖBL

Kauba, Carl 162
(* 1865, + 1922 Wien) Bildhauer, arbeitete für die Firma Wiener Bronzen (siehe Anmerkungen bei Nr.162).

Kaulbach, Hermann 19
(* 26.7.1846 München, + 9.12.1909 München) Historien- und Genremaler; war Schüler von Karl Theodor Piloty, der ihn entdeckt hatte; 1880-1891 Aufenthalt in Rom; erhielt 1889 den Professorentitel, lebte in München und Schliersee.
Lit.: Th-B

Kaun, Hugo 98
(* 21.3.1863 Berlin, + 2.4.1932 Berlin) Chordirigent und Komponist; entstammte einer Wiener Kaufmannsfamilie, wirkte 1887- 1902 in den Vereinigten Staaten (Milwaukee) als Dirigent, dann vorwiegend in Berlin; 1912 Wahl zum ordentlichen Mitglied der Akademie der Künste in Berlin. Seit 1922 war er Kompositionslehrer am Klindworth-Scharwenka-Konservatorium in Berlin.
Lit.: Hugo Kaun, Aus meinem Leben. Berlin-Zehlendorf/West 1931; rororo Musikhandbuch. Reinbek b. Hamburg 1973; Frank-Altmann S.291; Die Musik in Geschichte und Gegenwart 7. Hrsg. Friedrich Blume. Kassel 1958

KIB siehe Böhringer

Kilian v. Gayrsperg, Franz Xaver 33
(* 16.3.1854 Wien, + 27.7.1907 Wien) Graphiker, Kunstkritiker und Schriftsteller; mehr als 25 Jahre Referent für bildende Kunst und Theaterdichtung beim Wiener Neuigkeits-Weltblatt.
Lit.: ÖBL

Kramer, Oscar 82
(1835-1892) Photohändler, -verleger, Publizist; 1856 Kunsthandlung; 1864 Gründung der Zeitschrift Photographische Korrespondenz; 1873 Mitglied der Photographen-Assoziation auf der Wiener Weltausstellung und deren kommerzieller Leiter; 1887 Kaiserlicher Rat.
Lit.: Hochreiter

Liel, Marie v. 128
Porträtmalerin in Graz um 1900 (freundliche Mitteilung von Prof. Dr. Walter Krause, Wien).

Loes, R. 34
Graphiker.

Löwy, Josef 1, 69 ff.
(* 16.8.1835, + 24.3.1902) Photoverleger, Photograph; Atelier Wien 1, Renngasse (ehemaliges k.k. Zeughaus); später Wien 1, Weihburggasse

Nr.31 (Gartenbaugesellschaft); kam 1848 nach Wien, lernte Lithographie und an der Akademie der bildenden Künste Malerei; 1856 erstes Zimmeratelier, Ende der fünfziger Jahre neues Atelier; 1866-1873 Sommeratelier in Baden bei Wien; 1872 Herstellung von Lichtdrucken; 1873 Mitglied der Photographischen Assoziation (Weltausstellung); 1881 Lichtdruck-Schnellpresse; Herstellung von Heliogravuren. 1901 Kaiserlicher Rat.
Lit.: Hochreiter

Lunardi, R. 164
Bildhauer.

Luntz, Adolf 74 ff.
(* 27.1.1875 Wien, + 2.4.1924 Karlsruhe) Landschafts- und Figurenmaler, Radierer, Lithograph; Sohn des Architekten Viktor Luntz, war später Professor für Malerei an der Akademie in Karlsruhe; lebte bis 1915 in Wien.
Lit.: Th-B; Vollmer

M. 127
Karikaturist.

Mayerhofer, Theodor 12
(* 1855 Wien, + 25.4.1941 Wien) Maler und Illustrator in Wien; Schüler von Eduard v. Engerth.
Lit.: Th-B

Meisenbach, Karl 21
(* ?, + 7.8.1898 Nürnberg) Kupferstecher, ansässig in München.
Lit.: Vollmer

Michaelis, Artur 156
(* 27.7.1864 Leipzig, + 21.5.1946 Leipzig) Figuren- und Landschaftsmaler, Lithograph, Radierer; studierte in Leipzig, München und Rom.
Lit.: Th-B; Vollmer

Miksch, Anton 67
Maler.

Naumann, Edi (Eduard) 129, 139
(1877-1941) Graphiker, Medailleur (freundliche Mitteilung von Prof. Herbert Wieninger, Wien).

Nowak, Otto Robert 170
(* 12.11.1874 Wien, + 1950) Historien-, Genre- und Bildnismaler; war Schüler von Julius Viktor Berger, Siegmund L'Allemand und Franz Rumpler an der Wiener Akademie der bildenden Künste.
Lit.: Th-B

Nunwarz, Franz 2
(aktiv von 1872 bis 1908) Photograph; 1872 Geschäftsführer von Franz Vismara; Linzer Atelier seit 1873, ab 1877 in Urfahr, Fischergasse Nr.13; Ehrenpreise des Volksfestes in Linz 1877 und 1879.
Lit.: Hochreiter; Höß S.82 f.

Orlik, Emil 133
(* 21.7.1870 Prag, + 28.9.1932 Berlin) Maler, Graphiker, Kunstgewerbler in Berlin-Charlottenburg; 1900/1901 Reise nach Japan zum Studium des japanischen Farbholzschnittes, 1903/04 in Wien; 1905-1932 war er Professor an der Unterrichtsanstalt des Kunstgewerbemuseums.
Lit.: Th-B

Pawlik, Franz Xaver 95 f.
(* 2.8.1865 Wien, + 23.8.1906 Mödling) Medaillengraveur im Wiener Hauptmünzamt; Schüler von Josef Tautenhayn, Rudolf v. Weyr und Anton Scharff; erhielt viele in- und ausländische Preise für Porträtmedaillen.
Lit.: Th-B; ÖBL

Pfeiffer, Eduard 4
erster Photograph in Linz; Atelier im Nordico (Bethlehemstraße Nr.7); annoncierte seit 1852 in der Linzer Zeitung; Mai 1853 verlegte er sein Atelier ins Gasthaus "Schiff" (Landstraße Nr.36) und ins Genezik-Haus (Promenade Nr.29). Wann Pfeiffer auf den Graben 423 übersiedelte, ist unbekannt. 1857 schrieb Adalbert Stifter in einem Bericht über eine Ausstellung von Pfeiffers "ganz trefflichen Photographien".
Lit.: Höß S.74

Pflanz, Carl 83 b
(1869-1947) Kammerphotograph des Erzherzogs Peter Ferdinand von Toscana; 1900 Herstellung eines photographischen Salons auf dem 1899 errichteten Neubau Wien 1, Graben Nr.30; 1910 Hofgebäude Wien 3, Landstraße Nr.30; 1926 vom Sohn Wolfgang (geb. 1905) übernommen.
Lit.: Hochreiter; Höß S.83

Plany, Franz 140, 146 f., 166
(* 7.2.1882 Teschen, + 1.3.1956 Linz ?) Bildhauer (freundliche Mitteilung Stadtmuseum Linz Nordico).

Prietsel (Prietzel), Emil 136
Druckereibesitzer in Steyr.

Red, August 6
(1828-1888). Das Atelier Red, Linz, Promenade Nr.19 / Herrenstraße Nr.1, war ein größerer Betrieb, der zwei Drucker und einen Lithographen beschäftigte und 1860/61 die Konzession für einen lithographischen Betrieb er-

warb; erhielt mehrere Preise bei Ausstellungen, Weltausstellungen Wien, Paris, London, Brüssel.
Lit.: Höß S.84

Reisenbichler, Karl 179
(* 2.3.1885 Attersee, + 21.12.1962 Salzburg) Maler und Radierer; studierte an der Wiener Akademie der bildenden Künste bei Christian Griepenkerl und William Unger, Meisterklasse bei Alois Delug; entwarf u. a. auch Notgeld.
Lit.: ÖBL

Rüffler, Siegfried 138
(* 6.8.1898 Teplitz, + 31.3.1965 Linz) akad. Bildhauer; Studium in Prag; Wirkungsstätten: Troppau, Berlin, Wien, Linz, Wels, Salzburg; Lehrer in Linz an der Staatsgewerbeschule, Abteilung Kunstgewerbe, Studienjahr 1951/52; 1924 Mitglied des Welser Männergesangvereines (freundliche Mitteilung von Frau Trude Puschmann, Wels)

Scheidl, Karl 167
Graphiker.

Scherpe, Johann 109
(* 18.12.1853 Wien, + 15.2.1929 Wien) Denkmalbildhauer, ursprünglich Holzschnitzerlehrling; wurde von Rudolf v. Weyr als Mitarbeiter engagiert. 1877 Studien an der Wiener Akademie der bildenden Künste bei Carl Kundmann; spezialisierte sich auf Porträts und Architekturplastik und errang zahlreiche Preise.
Lit.: Th-B; ÖBL

Schirnböck, Ferdinand 142
(* 27.8.1859 Oberhollabrunn, + 16.9.1930 Perchtoldsdorf) Graphiker; studierte 1878-1880 an der Wiener Kunstgewerbeschule bei Ferdinand Laufberger, 1880-1886 spezialisierte er sich auf Kupferstecherei an der Wiener Akademie der bildenden Künste. 1886 begleitete er den Archäologen Friedrich August Otto Benndorf als Zeichner zu Ausgrabungen in Siebenbürgen. 1887 ging er als Stecher von Banknoten in eine Druckerei nach Buenos Aires und kehrte 1893 nach Wien zurück, wo er trotz Verlustes eines Auges in unerreichter Meisterschaft Briefmarken gestaltete.
Lit.: Th-B

Schließmann, Hans 80
(* 6.2.1852 Mainz, + 14.2.1920 Wien) Illustrator des volkstümlichen Wienertums; war seit 1874 Mitarbeiter der von Karl Klec herausgegebenen Humoristischen Blätter, 1880 beim "Kikeriki" und den Fliegenden Blättern und 1881-1890 Mitarbeiter der Wochenschrift Wiener Luft.
Lit.: Th-B

Schönchen, Heinrich 72
(* 11.4.1861 München, + 8.5.1933 ?) Porträtmaler; Schüler von Nikolaus Gysis und Ludwig v. Löfftz; 1910 Professor in München.
Lit.: Th-B

Schröder, Edmund 141
(* 13.12.1882 Berlin, + ?) Komponist; Schüler u. a. von Max Reger; gestaltete mehrere verschiedene Künstlerporträts als Reliefs.
Lit.: Frank-Altmann S.559; Abbildungen seiner Werke in verschiedenen Jahrgängen der Zeitschrift Die Musik

Schrott, L. F. 118
Graphiker.

Siber, Alfons 134
(* 26. oder 27.2.1860 Schwaz, + 8.2.1919 Hall i. T.) Kunstmaler; Pionier des Skilaufs, erster Skifahrer; Studium in Wien; 1905 Schöpfer des "Festzuges und der Festspiele" zur 500jährigen Erinnerung an die Belagerung Kufsteins durch Kaiser Maximilian; war angeblich Freund Bruckners.
Lit.: Th-B; ÖBL; Radio Bruckner 2, Nr.94

Stadler, Hans 81
(* 20.4.1848 Bamberg, 7.5.1916 Wien) Maler; seit 1872 in Wien; 1886 Wien 5, Am Hundsturm Nr.36; 1912 Wien 5, Schönbrunnerstraße Nr.30.
Lit.: Th-B

Staudigl, Franz 164
Maler von Landschaften, Stilleben und Akten; Studien an der Wiener Akademie der bildenden Künste.
Lit.: Th-B

Steiner ? siehe Theyerer ?

Steininger, August 182
(* 1.1.1873 Wien, + 1963 St. Veit i. M.) Graphiker; war Schüler von William Unger, unterrichtete an der Fachschule für Juweliere und Graveure in Wien.
Lit.: Th-B; Otto Jungmair, Prof. August Steininger, der Altmeister der bildenden Künstler Oberösterreichs, in: Mühlviertler Heimatblätter 1962, H.11/12, S.15-18

Tautenhayn, Josef jun. 97, 126, 149 f.
(* 10.9.1868 Wien, + 8.2.1962 Wien) Medailleur; Schüler von Josef Tautenhayn sen. und Edmund v. Hellmer. Er schuf bis zu seinem Tode ca. 800 Medaillen.
Lit.: Th-B; Vollmer

Theyerer oder Steiner ?, Leopold 180
Graphiker.

Tilgner, Viktor 55, 104, 106
(* 25.10.1844 Preßburg, + 16.4.1896 Wien) Bildhauer; war 1859-1871 Schüler der Wiener Akademie der bildenden Künste bei Franz Bauer. Die von ihm geschaffene Büste der Hofschauspielerin Charlotte Wolter wurde auf der Wiener Weltausstellung 1873 mit der Goldmedaille ausgezeichnet. 1874 weitere Studien; reiste mit Hans Makart nach Italien; gestaltete Brunnenanlagen in Schlössern; Denkmäler-Hauptwerke sind Josef Werndl in Steyr und Wolfgang Amadeus Mozart im Wiener Burggarten.
Lit.: Th-B

Tiroler Glasmalerei und Mosaik-Anstalt, Innsbruck 154
1861 gegründet von Albert Neuhauser, Architekt Vonstadt und Historienmaler Georg Mader. In die ersten Jahrzehnte der Tätigkeit des Institutes fallen die großen Arbeiten für St. Stephan und die Votivkirche in Wien, den Linzer Dom (1885), den Kölner Dom u. a.
Lit.: Tiroler Hochland 1920, Dezember, S.1-4

Türk (von Ramstein), Othmar 10
(* 1843 Landstrass/Krain, + 1904 ? Wien) Porträtphotograph; um 1870 Atelier Wien 7, Breite Gasse Nr.4; 1875 Hoftitel.
Lit.: Hochreiter

Uhde, Fritz v. 23
(* 22.5.1848 Wolkenburg, Sachsen, + 25.2.1911 München) Maler; zunächst Offizier; 1876 Malstudien bei L. A. Schuster in Wien, 1877 in München; traf dort mit dem Maler Michael v. Munkácsi zusammen und hatte dann mit diesem gemeinsam ein Atelier in Paris. Seit 1880 mit Max Liebermann befreundet; malte biblische Themen, die er in die Welt der Handwerker und Bauern versetzte.
Lit.: Th-B

Ullmann, Robert 148
(* 18.7.1903 Mönchengladbach, + 19.3.1966 Wien) Bildhauer; war 1911 bis 1917 bei Franz Cizek an der Jugendkunstschule in Wien, studierte 1919 bis 1927 bei Josef Müllner an der Wiener Akademie der bildenden Künste, weiters in Rom, Paris, Nordfrankreich, Zürich; 1931 Atelier; schuf Grabmäler und Gedenktafeln sowie Modelle für die Wiener Porzellanmanufaktur Augarten; Träger der Goldenen Ehrenmedaille des Künstlerhauses und des Österreichischen Staatspreises.
Lit.: Th-B

Ulrich, G. oder J. 21
Graphiker.

Varges, H. 181
Graphiker.

Vismara, Felix 35
(* 1815 Mailand, + 12.11.1881 Linz) Photograph; hatte 1868 sein erstes
Atelier in Linz, Altstadt Nr.17; sein Betrieb wurde nach seinem Tod bis 1897
von Camillo Ichzenthaler (* 10.7.1848) weitergeführt. Seine Tochter war
Schülerin Bruckners.
Lit.: Hochreiter; Höß S.85

Waibler, Friedrich 56 f.
Maler aus Worms; tätig um 1850 in Darmstadt.
Lit.: Th-B

Weidinger, Carl 5 f.
Photograph; tätig im Atelier Red (siehe dort), Linz, Promenade Nr.19 / Her-
renstraße Nr.1.
Lit.: Höß S.86

Welleba, Leopold Columban 29 ff.
(* 30.1.1878 Wien, + Wien ?) Komponist; Schüler von Anton Bruckner und
Eusebius Mandyczewski, auch Maler und Bildhauer.
Lit.: Frank-Altmann S.678

Wernicke, Rudolf 158
(* 6.10.1898 Stuttgart, + 28.11.1963 Linz) Maler; studierte 1914-1918 an der
Unterrichtsanstalt des Berliner Kunstgewerbemuseums; Landschaftsmaler:
Reisen in Süddeutschland, Österreich und der Schweiz. Seit 1930 Porträtist
in Berlin, Wien, Innsbruck, Salzburg, Bregenz, Bozen, Meran und Linz.
Lit.: Vollmer; Rudolf Wernicke, 64 Porträtzeichnungen (Schriftenreihe zum
biographischen Lexikon von Oberösterreich). Linz 1959

Zacher, Franz und Max 167
Zinngießer in Linz.

Zasche, Theodor 184 f.
(* 18.10.1862 Wien, + 15.11.1922 Wien) Graphiker; Sohn des Miniaturma-
lers aus Gablonz Josef Z. (1821-1881); war Schüler seines Vaters, dann unter Ferdinand Laufberger und Julius Viktor Berger an der Wiener Kunstgewerbeschule, Werkstätte für Porzellanmalerei. Nach dem Tod des Vaters
zeichnete er für das Wiener Witzblatt "Floh", die Lustigen Blätter, Berlin,
und die Fliegenden Blätter, München; seit 1910 für die Volkszeitung in
Wien; nach Hans Schließmanns Tod Mitarbeiter der Wochenschrift Wiener
Luft; 1892 Mitglied des Wiener Künstlerhauses. Charakteristisch ist seine
Porträttreue; Kenner des Wiener Lebens und der Wiener Gesellschaft.
Lit.: Th-B

Zerritsch, Fritz d. Ä. 104 ff.

(* 26.2.1865 Wien, + 30.11.1938 Wien) Bildhauer; Studium an der Wiener Kunstgewerbeschule bei Otto König; acht Jahre im Atelier Viktor Tilgners, das er 1896 übernahm. Werke: Bruckner-Denkmäler in Steyr und Wien, Grabdenkmal Tilgners, Büste Adalbert Stifters in der Deutschen Bücherei Leipzig.
Lit.: Th-B

Zimpel, Leo 131

(* 18.5.1860 Wien, + nach 1894 ?) Medailleur; Professor an der Fachschule.
Lit.: Th-B

Zinsler, Karl Anselm 87

(* 23.10.1867, + 23.1.1940) Bildhauer, Gipsformer, Porträtplastiker; Schüler von Edmund v. Hellmer an der Wiener Akademie der bildenden Künste, dann von Johannes Benk; Grabmäler mit Bildhauer Josef Haberl (siehe dort).
Lit.: Th-B; Eisenberg

Gattungen der künstlerischen Techniken
(Angeführt sind die Nummern der Abbildungen)

Verzeichnis der Besitzer

(Angeführt sind die Nummern der Abbildungen)

Herkunftsnachweis der Abbildungen

1 Gesellschaft der Musikfreunde, Archiv, Wien
2 Fischer Abb.47
3 Österreichische Nationalbibliothek, Musiksammlung, Wien
4 Karl Zappe, Gmunden
5 Linzer Singakademie, vormals "Frohsinn"
6 Stadtmuseum Linz Nordico
7 Gesellschaft der Musikfreunde, Archiv, Wien
8 Anton Bruckner-Institut Linz
9 Historisches Museum der Stadt Wien
10 Richard Wagner-Gedenkstätte der Stadt Bayreuth
11 Historisches Museum der Stadt Wien
12 Österreichische Nationalbibliothek, Porträtsammlung und Bildarchiv, Wien
13-16 Göll.-A. 4/1,nach S.64; 4/2, vor S.609
17 Historisches Museum der Stadt Wien
18-19 Oberösterreichisches Landesmuseum, Bibliothek, Linz
20 ohne Bild
21 Österreichische Nationalbibliothek, Musiksammlung, Wien
22 a) Oberösterreichisches Landesmuseum, Bibliothek, Linz
   b) Historisches Museum der Stadt Wien
23 a) Staatsgalerie Stuttgart
   b) Rolf Keller, Leonberg
24 Anton Bruckner-Institut Linz
25 Anton Bruckner-Institut Linz
26 Historisches Museum der Stadt Wien
27 Anton Bruckner-Institut Linz
28 Stadtmuseum Linz Nordico
29-31 Österreichische Nationalbibliothek, Musiksammlung, Wien
32 Historisches Museum der Stadt Wien
33 Österreichische Nationalbibliothek, Druckschriftensammlung, Wien
34 Rotraud Falk, Linz
35 Oberösterreichisches Landesmuseum, Bibliothek, Linz
36 a) Oberösterreichisches Landesmuseum, Bibliothek, Linz
   b) Historisches Museum der Stadt Wien
   c) Österreichische Nationalbibliothek, Musiksammlung, Wien
37-38 Historisches Museum der Stadt Wien
39 a) Österreichische Nationalbibliothek, Porträtsammlung und Bildarchiv, Wien
   b) Anton Bruckner-Institut Linz
40 Österreichische Nationalbibliothek, Porträtsammlung und Bildarchiv, Wien
41 Museum der Stadt Wien

42 Orel 1925, Taf.3
43 Historisches Museum der Stadt Wien
44 Stadtmuseum Linz Nordico
45 Oberösterreichisches Landesmuseum, Bibliothek, Linz
46-47 Historisches Museum der Stadt Wien
48-50 Oberösterreichisches Landesmuseum, Bibliothek, Linz
51 a) Historisches Museum der Stadt Wien
   b) Österreichische Nationalbibliothek, Musiksammlung, Wien
52 Österreichische Nationalbibliothek, Porträtsammlung und Bildarchiv, Wien
53 Göll.-A.4/1, vor S.321
54 Stadtmuseum Linz Nordico
55 Anton Bruckner-Institut Linz
56-58 Österreichische Nationalbibliothek, Porträtsammlung und Bildarchiv, Wien
59 Österreichische Nationalbibliothek, Musiksammlung, Wien
60 Oberösterreichisches Landesmuseum, Bibliothek, Linz
61 Richard Wagner-Gedenkstätte der Stadt Bayreuth
62 Oberösterreichisches Landesmuseum, Bibliothek, Linz
63 Gesellschaft der Musikfreunde, Archiv, Wien
64-65 Oberösterreichisches Landesmuseum, Bibliothek, Linz
66 Oberösterreichisches Landesmuseum, Linz
67 Stift St.Florian
68 Österreichische Nationalbibliothek, Musiksammlung, Wien
69 Oberösterreichisches Landesmuseum, Bibliothek, Linz
70 Anton Bruckner-Institut Linz
71 Historisches Museum der Stadt Wien
72 Internationale Bruckner-Gesellschaft, Wien
73 Österreichische Nationalbibliothek, Druckschriftensammlung, Wien
74-76 Österreichische Nationalbibliothek, Musiksammlung, Wien
77 Österreichische Nationalbibliothek, Druckschriftensammlung, Wien
78-79 Historisches Museum der Stadt Wien
80 Anton Bruckner-Institut Linz
81 ohne Bild
82 Österreichische Nationalbibliothek, Musiksammlung, Wien
83 a) Historisches Museum der Stadt Wien
   b) Österreichische Nationalbibliothek, Musiksammlung, Wien
84 a) Anton Bruckner-Institut Linz
   b) Österreichische Nationalbibliothek, Musiksammlung, Wien
85 Österreichische Nationalbibliothek, Druckschriftensammlung, Wien
86 Historisches Museum der Stadt Wien
87 a) Gesellschaft der Musikfreunde, Archiv, Wien
   b) Oberösterreichisches Landesmuseum, Linz
88 Gesellschaft der Musikfreunde, Archiv, Wien
89 Historisches Museum der Stadt Wien
90 Gesellschaft der Musikfreunde, Archiv, Wien

91-93 Österreichische Nationalbibliothek, Druckschriftensammlung, Wien
94 a) Oberösterreichisches Landesmuseum, Bibliothek, Linz
   b) Anton Bruckner-Institut Linz
95 ohne Bild
96-97 Anton Bruckner-Institut Linz
98 Historisches Museum der Stadt Wien
99 Cossmann S.134
100 Unser Oberdonau S.121
101 a) Historisches Museum der Stadt Wien
   b,c) Österreichische Nationalbibliothek, Musiksammlung, Wien
102-103 Oberösterreichisches Landesmuseum, Linz
104-105 Anton Bruckner-Institut Linz
106 a) Österreichische Nationalbibliothek, Druckschriftensammlung, Wien
   b-g) Anton Bruckner-Institut Linz
107-108 Österreichische Nationalbibliothek, Porträtsammlung und Bildarchiv, Wien
109-110 Historisches Museum der Stadt Wien
111-112 Österreichische Nationalbibliothek, Musiksammlung, Wien
113-114 Historisches Museum der Stadt Wien
115-117 Anton Bruckner-Institut Linz
118 Österreichische Nationalbibliothek, Druckschriftensammlung, Wien
119-120 Österreichische Nationalbibliothek, Musiksammlung, Wien
121 Cossmann S.136
122-123 Gesellschaft der Musikfreunde, Archiv, Wien
124 Anton Bruckner-Institut Linz
125 Cossmann S.101
126 Anton Bruckner-Institut Linz
127 Österreichische Nationalbibliothek, Porträtsammlung und Bildarchiv,
   Wien
128 Anton Bruckner-Institut Linz
129 Historisches Museum der Stadt Wien
130 Kunsthistorisches Museum, Münzkabinett, Wien
131 Linzer Singakademie, vormals "Frohsinn"
132 Anton Bruckner-Institut Linz
133 Österreichische Nationalbibliothek, Porträtsammlung und Bildarchiv,
   Wien
134-135 Anton Bruckner-Institut Linz
136-137 Othmar Wessely, Wien
138 Hans Sachs-Chor, Wels
139-147 Anton Bruckner-Institut Linz
148 Österreichische Nationalbibliothek, Musiksammlung, Wien
149 Anton Bruckner-Institut Linz
150 Kunsthistorisches Museum, Münzkabinett, Wien
151 Stadtmuseum Enns
152 Anton Bruckner-Institut Linz
153 Stadtmuseum Enns

154-155 Anton Bruckner-Institut Linz
156 Österreichische Nationalbibliothek, Druckschriftensammlung, Wien
157-158 Anton Bruckner-Institut Linz
159 Österreichische Nationalbibliothek, Druckschriftensammlung, Wien
160-162 Anton Bruckner-Institut Linz
163 Pfarramt Stift Ardagger
164 Gesellschaft der Musikfreunde, Archiv, Wien
165 Alois Quass, Windhaag
166 Oberösterreichisches Landesmuseum, Linz
167 Linzer Stadtmuseum Nordico
168-169 Anton Bruckner-Institut Linz
170 Österreichische Nationalbibliothek, Porträtsammlung und Bildarchiv, Wien
171 Anton Bruckner-Institut Linz
172 Linzer Stadtmuseum Nordico
173-175 Anton Bruckner-Institut Linz
176 ohne Bild
177 Anton Bruckner-Institut Linz
178 Österreichische Nationalbibliothek, Porträtsammlung und Bildarchiv, Wien
179 Gräflinger 1927, Taf.13
180 Gesellschaft der Musikfreunde, Archiv, Wien
181-183 Anton Bruckner-Institut Linz
184 Göll.-A. 4/3, nach S.496
185 Österreichische Nationalbibliothek, Druckschriftensammlung, Wien
186 Oberösterreichisches Landesmuseum, Linz

Abgekürzt zitierte Literatur

Walter **Abendroth**, Bruckner. Eine Bildbiographie (Kindlers klassische Bild-biographien). München 1958.

Max **Auer**, Bruckner (Amalthea-Bücherei 33/34). Zürich-Leipzig-Wien **1923**.

Max **Auer**, Anton Bruckner. Leben und Werk. Wien **1932**.

Max **Auer**, Anton Bruckner. Mystiker und Musikant (Heyne Biographien 93; Genehmigte gekürzte Taschenausgabe). München **1982**.

Bruckner-Katalog 1964. Anton Bruckner und Linz. Ausstellung im Steiner-nen Saal des Landhauses in Linz. 20.Juni bis 11.Oktober 1964. Hrsg. Bruck-nerbund für Oberösterreich und Leopold Nowak. Wien 1964.

Bruckner-Katalog 1974. Anton Bruckner zum 150. Geburtstag. Eine Aus-stellung im Prunksaal der Österreichischen Nationalbibliothek. 29.Mai bis 12.Oktober 1974. Gestaltet von Franz Grasberger u.a. Wien 1974.

Bruckner-Katalog 1977. Anton Bruckner zwischen Wagnis und Sicherheit. Eine Ausstellung von Franz Grasberger. Brucknerhaus Linz 4. bis 29.Sep-tember 1977. Linz 1977.

Alfred **Cossmann**, Ein Wiener Künstlerleben. Wien 1945.

Ludwig **Eisenberg**, Künstler- und Schriftsteller-Lexikon "Das geistige Wien". 3.Jg. Wien 1891.

Hans Conrad **Fischer**, Anton Bruckner. Sein Leben. Eine Dokumentation. Salzburg 1974.

Frank-Altmann = Kurzgefaßtes Tonkünstler-Lexikon. 15.Aufl. Nachdruck Wilhelmshaven 1983.

Göll.-A. = August Göllerich - Max Auer, Anton Bruckner. Ein Lebens- und Schaffensbild (Deutsche Musikbücherei 36-39). Regensburg 1922-1937. Re-print 1974.

Franz **Gräflinger**, Anton Bruckner. Leben und Schaffen. (Umgearbeitete Bausteine) (Max Hesses Handbücher 84). Berlin 1927.

Karl **Grebe**, Anton Bruckner in Selbstzeugnissen und Bilddokumenten (Ro-wohlt Monographien 190). Reinbek b. Hamburg 1972.

244

Robert **Haas**, Anton Bruckner (Die großen Meister der Kunst). Potsdam 1934.

Mathias **Hansen**, Anton Bruckner (Reclam Biografien 1173). Leipzig 1987.

Otto **Hochreiter** - Tim Starl, Lexikon zur österreichischen Fotografie (Geschichte der Fotografie in Österreich 2). Bad Ischl 1983.

Gertrude **Höß**, Aus der Frühzeit der Photographie in Linz, in: Kunstjahrbuch der Stadt Linz 1969, S.72 ff.

Paul **Niggl**, Musiker-Medaillen. Hofheim am Taunus 1965-1987. Band 1 und 2.

Leopold **Nowak**, Musik und Leben. Linz 1973.

ÖBL = Österreichisches Biographisches Lexikon 1815-1950. Graz-Köln 1957 ff., ab Bd.6 ff. Wien 1975 ff.

ÖKL = Rudolf Schmidt, Österreichisches Künstler-Lexikon von den Anfängen bis zur Gegenwart. Wien 1974 ff.

ÖL = Österreich Lexikon in zwei Bänden. Hrsg. Richard Bamberger - Franz Maier-Bruck. Wien-München 1966.

Alfred **Orel**, Anton Bruckner. Das Werk - der Künstler - die Zeit. Wien-Leipzig **1925**.

Alfred **Orel**, Anton Bruckner 1824-1896. Sein Leben in Bildern (Meyers Bildbändchen 18). Leipzig **1936**.

Alfred **Orel**, Anton Bruckners Nachlaß, in: Oberösterreichische Heimatblätter 3(**1949**) S.116-124, 266 f.

Alfred **Orel**, Bruckner-Brevier. Briefe, Dokumente, Berichte. Wien **1953**.

Heinz **Schöny**, Anton Bruckner im zeitgenössischen Bildnis, in: Kunstjahrbuch der Stadt Linz 1968, S.45-84.

Th-B = Allgemeines Lexikon der bildenden Künstler von der Antike bis zur Gegenwart. Hrsg. Ulrich Thieme, Felix Becker usw. Leipzig 1907 ff.

Unser Oberdonau. Ewiger Kraftquell der Heimat. Ein deutscher Gau in Kunst und Dichtung. Hrsg. Anton Fellner. Berlin 1944.

Vollmer = Allgemeines Lexikon der bildenden Künstler des 20. Jahrhunderts. Hrsg. Hans Vollmer. Leipzig 1953 ff., Nachdruck 1979 ff.

Manfred **Wagner**, Bruckner. Monographie (Goldmann-Schott 33027). Mainz-München 1983; 2.Aufl. unter dem Titel: Bruckner. Leben - Werke - Dokumente (Serie Musik Piper Schott 8207). Mainz-München 1989.

Franz **Zamazal**, Der Kupferstecher Alfred Cossmann und Anton Bruckner, in: In Ehrfurcht vor den Manen eines Großen. Zum 75.Todestag Anton Bruckners (Sondernummer "Brucknerland"). Linz 1971.

Register zu den Erläuterungen
(Angeführt sind die Nummern der Erläuterungen)